ILONA SZABÓ
COM **ISABEL CLEMENTE**

DROGAS: AS HISTÓRIAS QUE NÃO TE CONTARAM

PREFÁCIO **DRAUZIO VARELLA**

ZAHAR

Copyright © 2017, Ilona Szabó de Carvalho

Copyright desta edição © 2017:
Jorge Zahar Editor Ltda.
rua Marquês de S. Vicente 99 – 1º | 22451-041 Rio de Janeiro, RJ
tel (21) 2529-4750 | fax (21) 2529-4787
editora@zahar.com.br | www.zahar.com.br

Todos os direitos reservados.
A reprodução não autorizada desta publicação, no todo
ou em parte, constitui violação de direitos autorais. (Lei 9.610/98)

Grafia atualizada respeitando o novo
Acordo Ortográfico da Língua Portuguesa

Revisão: Tamara Sender, Carolina Sampaio
Capa: Rafael Nobre/Babilonia Cultura Editorial
Ilustração de capa: Cadu França/Babilonia Cultura Editorial

CIP-Brasil. Catalogação na publicação
Sindicato Nacional dos Editores de Livros, RJ

S991d	Szabó, Ilona Drogas: as histórias que não te contaram/Ilona Szabó com Isabel Clemente; [prefácio Drauzio Varella]. – 1.ed. – Rio de Janeiro: Zahar, 2017. Apêndice Glossário ISBN 978-85-378-1620-2 1. Drogas – Ficção brasileira. 2. Ficção brasileira. I. Clemente, Isabel. II. Varella, Drauzio. III. Título.
16-38127	CDD: 869.93 CDU: 821.134.3(81)-3

PARA **YASMIN ZOE**

> "As drogas já destruíram muitas vidas, mas as políticas equivocadas sobre drogas destruíram muitas mais."
>
> KOFI ANNAN, ex-secretário-geral das Nações Unidas e membro da Comissão Global de Políticas sobre Drogas

SUMÁRIO

Prefácio, por **Drauzio Varella**   11

Introdução: Precisamos falar sobre drogas   15

1. A CADEIA DAS DROGAS

Sobre como a cocaína se infiltrou na vida de Daniel, alterou o futuro de Irina, selou o destino de Mete-Bala, impôs a Jaqueline uma lição forçada e a Carlos Eduardo, o difícil caminho da superação.   19

2. UM LABIRINTO COM MUITAS SAÍDAS

Sobre o que aconteceu com Daniel na guerrilha colombiana, com as famílias desfeitas de Irina e Mete-Bala, sobre como dois irmãos lutaram contra desinformação e preconceitos, e por que todos eles foram parar na mesma história.   111

POSFÁCIO: O INÍCIO DE TUDO

Sobre como milhares de pessoas comuns e líderes globais estão mostrando ao mundo políticas mais humanas e eficazes para lidar com as drogas. E ainda: como as mudanças se aceleraram em apenas cinco anos.   181

Glossário   189
Notas   193
Agradecimentos   198

PREFÁCIO

Este livro é uma reflexão profunda sobre as drogas ilícitas.

Na primeira parte, a autora descreve o impacto da cocaína na vida de cinco personagens: um menino que a família entregou às Farc aos onze anos, no interior da Colômbia; uma jovem presa por tráfico num barco que navegava pelo rio Solimões; um traficante de dezessete anos nascido num dos morros cariocas; uma policial militar treinada para reprimir o tráfico; e um rapaz de classe média que se tornou dependente, como tantos pelo Brasil e o mundo afora.

Os personagens são apresentados com realismo e imparcialidade, sem manipulação sentimental, intenções ocultas ou julgamentos de qualquer espécie. Não há vítimas nem heróis entre eles, sejam usuários, traficantes ou policiais, apenas tragédias individuais e familiares associadas à perversidade da ordem social que coloca em risco as crianças e os adolescentes mais frágeis e a massa de desvalidos das favelas e periferias das nossas cidades.

As cracolândias com seus fantasmas esquálidos, andrajosos, espalhados pela sarjeta, que tanto ferem a sensibilidade do transeunte inadvertido, não são a causa mas a consequência nefasta da pobreza, desorganização familiar, violência doméstica, ausência de horizontes, educação precária e do convívio promíscuo com o tráfico da vizinhança.

Os dramas vividos por Daniel, Irina, Mete-Bala, Jaqueline e Carlos Eduardo introduzem o leitor ao universo da irracionalidade inerente às políticas proibicionistas e de combate ao tráfico e ao uso de drogas psicoativas na maior parte dos países: da pena de morte aos traficantes na Indonésia, nas Filipinas e em Cingapura, à guerra civil desencadeada na Colômbia, à superlotação das cadeias brasileiras. Em contrapartida, a autora analisa as consequências de legislações mais tolerantes como as de Portugal, Holanda, Uruguai e de alguns estados americanos.

Ilona discute o Plano Colômbia, a versão mais eloquente da política de combate às drogas, declarada em 1971 por Richard Nixon, com a intenção de reduzir a oferta de cocaína para aumentar os preços no mercado e, assim, diminuir o consumo. Bilhões de dólares investidos nessa guerra colombiana provaram que o plantio da coca procurou áreas de acesso mais difícil e se deslocou para o Peru, Bolívia e Equador, de modo a manter a produção em níveis adequados para suprir os mercados consumidores, entre os quais o dos Estados Unidos ocupa a liderança incontestada.

A prova cabal do fracasso dessa estratégia perdulária e belicosa, tão a gosto dos ingênuos que a consideram essencial para manter as drogas ilícitas distante de suas famílias, é que a cocaína nunca foi tão barata nas ruas das cidades americanas e europeias.

Com a experiência de quem acompanha de perto os estudos que levaram à implantação de programas inovadores de prevenção e de tratamento de usuários, nos países que aprenderam a considerar o uso de drogas ilícitas um problema de saúde pública que jamais será resolvido pela repressão policial, a autora resiste à tentação de cair no discurso ideológico e de propor soluções simplistas para um problema de tamanha complexidade. Partindo do princípio de que "nenhum ser humano será resgatado de sua dependência por ameaça ou castigo", defende que a prevenção e a redução de danos dão resultados mais concretos do que os obtidos com os custos e as consequências sociais da repressão policial.

Convencida de que a guerra às drogas gera corrupção, sofrimento humano e alimenta um ciclo contínuo de violência em nome da meta inatingível de acabar com elas, Ilona reconhece com humildade a magnitude do desafio atual, criado pela tendência milenar dos seres humanos em buscar o prazer e a felicidade instantânea por meios químicos.

O reconhecimento, no entanto, não a leva ao pessimismo e à imobilidade, pelo contrário, serve para avaliar programas como aqueles desenvolvidos em Portugal, no Uruguai, em vários estados americanos e países europeus, e projetos brasileiros como a Luta pela Paz e o AfroReggae, experiências valiosas que deveriam ganhar escala para se tornar políticas públicas de prevenção ao uso e de reinserção social para dependentes e ex-traficantes.

Li este livro de uma só vez, num voo internacional. Do começo ao fim, ele prende a atenção sem a aridez das apresentações acadêmicas. Com a habilidade dos contadores de histórias, Ilona e Isabel nos conduzem pelos labirintos das estratégias de combate ao uso de drogas ilícitas, para mostrar que existem caminhos alternativos à repressão e ao aprisionamento.

Drauzio Varella
São Paulo, março de 2017

INTRODUÇÃO
PRECISAMOS FALAR SOBRE DROGAS

Sempre tive muito medo de perder o controle de situações, tendo planos para tudo e sendo responsável até demais. Drogas ilícitas estiveram presentes em poucos episódios da minha juventude. Já o álcool regou encontros e desencontros com amigos sem ofuscar o fascínio que nutro por outras fontes de prazer na vida – viagens, yoga, boas leituras e trocas de experiências com pessoas queridas.

Na adolescência, meus pais nem se preocuparam muito comigo. Não dei muito trabalho e havia outros três filhos para tomarem conta. Para ser sincera, não lembro se tivemos alguma conversa específica sobre drogas. Recordo apenas de meu pai me dizendo que se eu andasse com pessoas que usavam drogas, poderia me dar mal, mesmo que eu não fizesse uso. Na breve recomendação paterna, o medo estava presente.

Eu não podia imaginar que um dia revisitaria esse momento tão distante com papéis invertidos. O que pensariam meus pais quando soubessem que eu decidira falar sobre drogas publicamente, um assunto tão controvertido? Acostumados com meus interesses profissionais para lá de incomuns, não acharam nada de mais.

Eu já havia me envolvido com debates sobre juventude e violência, reforma da polícia e regulação de armas, quando coordenei uma grande campanha e centenas de postos de coleta numa das maiores campanhas de desarmamento do mundo, feita aqui no Brasil.

Mas falar sobre drogas ainda não é fácil e exige muito dos envolvidos. Não basta ter argumentos convincentes nem informações confiáveis. Os debates esbarram muitas vezes em uma muralha chamada medo, a parte mais visível de uma fortaleza construída com preconceitos e a proibição como único caminho possível. Acontece que tabus também despertam fascínio. Minha imersão no tema foi se transformando numa curiosa e muitas vezes velada obsessão à medida que eu descobria o quanto esse preconceito afeta gravemente todos nós, os que usam ou não usam drogas, os que gostam e os que não gostam.

Precisamos, mais do que nunca, falar sobre drogas. Em muitos lares essa conversa é marcada pela desinformação, pelo temor de mães sobre violência policial contra seus filhos e por histórias de fracassos familiares na busca por tratamento para parentes com sérias dependências.

Como mãe, pretendo passar para minha filha a mensagem que considero a mais acertada: "Meu amor, a vida trará muitas sensações, e você não precisa de drogas para experimentá-las. Drogas trazem riscos e eu gostaria que você não se arriscasse. Estarei sempre disposta a conversar sobre esse assunto e te ajudar se precisar." Pode ser que meu discurso funcione e dê tudo certo lá na frente. Que ela jamais se arrisque e encontre formas saudáveis de experimentar as emoções que uma vida comporta. Mas nossos filhos não vivem numa bolha. Eles conviverão com substâncias, lícitas e ilícitas, na escola, na rua, nas viagens.

Não estamos no controle de todos os possíveis desdobramentos de uma existência. A jornada de cada um é imprevisível, inclusive a de nossos filhos.

E por me colocar no lugar de pessoas que enfrentarão dificuldades e que precisarão de ajuda, a minha bandeira se chama política pública, que vem a ser a mais abrangente das estratégias. Uma política pública bem-elaborada funciona como a rede de proteção para o equilibrista na corda bamba. Ela está lá para amparar os que não conseguirem se equilibrar sozinhos. Uma política pública não pode ser pensada a partir de crenças e vontades individuais porque ela se destina ao coletivo. Tem que ser boa para mim e para você. Servir a todos nós.

Confesso ter me questionado em várias ocasiões sobre qual seria a melhor alternativa para a sociedade lidar com as drogas. Na busca por essa resposta, conheci nos últimos doze anos histórias de muitos personagens afetados pela cadeia do tráfico. Vi de perto experiências inovadoras adotadas em diversos países, na Europa, no Canadá, nos Estados Unidos e também aqui do nosso lado, na América Latina e no Caribe.

Foi como mudar a lente de uma máquina fotográfica. Saiu de cena o foco nas substâncias e seus riscos para revelar um quadro muito maior, cheio de imagens escondidas. O retrato ampliado, no qual as drogas ficaram de lado, me mostrou pessoas com histórias de vida interligadas por dramas. Uma fotografia nada bonita de se ver.

Este livro é o desenrolar do quebra-cabeça capturado por essa foto. É também um convite para trocar a lente da câmera com a qual cada um de nós olha o mundo. Quando começamos a desconfiar de certas crenças, abrimos caminho para novas informações e pontos de vista que poderão, quem sabe, reconstruir um debate realmente inovador sobre as drogas.

A primeira parte do livro, uma narrativa ficcional inspirada em pessoas reais, nos leva da Colômbia ao Rio de Janeiro. Daniel espelha a vida de milhares de adolescentes colombianos que perderam suas famílias e foram entregues a grupos armados que têm no narcotráfico uma de suas principais fontes de financiamento. Irina encarna um drama vivido por mulheres que se arriscaram no transporte de drogas, apesar da legislação rígida sem nenhum tipo de perdão. Mete-Bala é o apelido de um jovem traficante de dezessete anos que conheci certa vez durante um trabalho, um rapaz que um dia sonhou ser dançarino e que morreria pouco tempo depois do nosso encontro numa troca de tiros com a polícia, como tantos outros dos quais também pouco sabemos. Jaqueline retrata os dilemas da força policial, encarregada de uma luta que ela sabe inglória. E, finalmente, Carlos Eduardo, um jovem como outro qualquer, com medos, erros e acertos na luta contra a dependência.

Na segunda parte, você saberá o que aconteceu com cada um desses personagens. Conhecerá também caminhos alternativos adotados por cidades e países que decidiram apostar em novas abordagens e políticas sobre drogas. Eles oferecem lições que mudaram a forma de muita gente pensar, inclusive eu. Na essência, o que você tem em mãos é uma aventura ficcional repleta de cenários e dados reais. Uma tentativa de construir uma visão mais ampla sobre as consequências negativas da atual guerra às drogas e os possíveis caminhos para a sociedade lidar com a questão de forma mais equilibrada.

Quanto mais informações tivermos, mais livres e mais bem preparados estaremos para tomar decisões e ajudar o outro a fazer boas escolhas.

1
A CADEIA DAS DROGAS

DANIEL

No Dia das Bruxas, máscaras de abóboras recortadas em cartolinas laranja formavam um varal no salão. As luzes apagadas permitiam que a iluminação de velas derretidas sobre pires acrescentasse um acabamento quase profissional ao faz de conta.

Na casa de dois andares, com fachada em cimento, telhado de zinco e um pequeno quintal, vivem vinte crianças e adolescentes. São meninas e meninos resgatados ou devolvidos por grupos armados ilegais, depois de anos servindo como escravos sexuais, cozinheiros, serviçais e combatentes.

Muitos deixaram de ser crianças em vários sentidos. Testemunharam e participaram de atrocidades. Cresceram sem referência familiar. Usaram drogas. Foram doutrinados para desrespeitar leis e, à margem da sociedade, obedecer a regras que cumpridas ou descumpridas poderiam custar-lhes a vida.

Crianças e adolescentes eram o lado mais frágil da guerra civil que atormentou a Colômbia por mais de meio século, em disputas que opunham grupos guerrilheiros, paramilitares e forças do Estado.

Esses pequenos ex-soldados poderiam estar presos, embrenhados na selva em acampamentos nômades ou mortos, mas, instalados em seu novo lar, numa das muitas ruas sem calçamento da periferia de Bogotá, trocaram armas por brinquedos, batalhas pela escola. Improvisaram fantasias de fantasmas, vampiros e bruxas para brincar de vencer o medo numa noite fria no final de outubro de 2006.

Neste novo cenário é difícil imaginar que as vidas ainda tão breves dessas crianças foram marcadas por episódios brutais.

Pode este novo ambiente rico em afeto e respeito curar os traumas de guerra? As crianças-soldado que montaram minas terrestres e lutaram como adultos são vítimas ou foram algozes? A história de Daniel e de milhares de outras crianças-soldado é uma complicada busca por respostas.

Franzino, Daniel aparenta menos idade do que seus dezessete anos de vida. Para a festa do Dia das Bruxas, arrumou um pano preto como capa e um batom vermelho para simular sangue nos lábios. Usou fécula de milho para empalidecer o rosto e surpreendeu ao desenhar um crucifixo no braço, um contraste inesperado num vampiro, avesso ao símbolo da cruz e tido como uma criatura do mal. Dois garotos mais fortes caíram na gargalhada.

"Sou um vampiro católico. Estou protegido! Já tentaram me matar várias vezes mas ainda estou aqui, porque, no fundo, sou do bem!"

Como parte da encenação, Daniel forja uma arma com os dedos e, em seguida, uma cruz. Se a bondade está na profundeza de sua alma, é graças às brincadeiras que ela começa a vir à tona. Ele não é imortal como gostaria, mas diverte seus colegas contando os muitos episódios de seu quase encontro com a morte.

Os colegas da escola ficam invariavelmente impressionados, até os que já passaram por algo parecido – porque é a maneira de Daniel contar histórias que faz a diferença. Como se ele enxergasse os acontecimentos por um ângulo inusitado.

"Fiquei parado atrás da árvore, escondido, e a morte, caolha, passou batido por mim!", diz, sobre um dos tiroteios que enfrentou.

E foi quase isso o que aconteceu. Naquele dia, enquanto esperava a morte passar, Daniel resolveu checar se a bomba que explodira havia pouco era a mina que ele enterrara na véspera. Não era bom com armas mas aprendera a montar explosivos. Quando foi espionar, um tiro pegou de raspão sua testa. A cabeça ardeu e, da ferida, jorrou tanto sangue que até as águas do rio nas quais limpou o machucado foram tingidas de vermelho, exagera ele, para uma plateia de olhos arregalados, incrédula.

Seu inimigo naquele episódio sangrento na selva era o Exército colombiano, o mesmo ao qual cinco anos depois ele iria se entregar. De inimigo a aliado, o Exército teve papéis decisivos e contrários na vida do menino, uma ajuda e tanto para perceber cedo como pequenas escolhas podem influenciar o curso de uma história.

Qual Daniel prevaleceria: o que participou de batalhas armadas na selva ou o que em ato de desespero e coragem fugiu e pediu ajuda tempos depois?

Atingido na cabeça, Daniel ficou fora de combate por uma semana e, enquanto se recuperava, na enfermaria dos guerrilheiros, caiu nas graças de um dos comandantes da frente onde servia. Foi transferido para a tenda preta, na qual só o líder dormia, com a desculpa de que ali seria mais bem cuidado. Antes de chegar lá, porém, urinou na maca. Ele tinha apenas doze anos. Sobre essa história, Daniel se cala.

Filho mais velho de cinco irmãos, Daniel nasceu e cresceu numa zona agrícola, entre a selva amazônica e a planície colombiana, para onde seus avós se mudaram nos anos 1960. Como as demais famílias, vieram estimulados por governos que falavam em povoar os vazios do país e levar até lá estradas, escolas e hospitais. O povo acreditou e foi viver na nova fronteira. Já as promessas não foram cumpridas.

Esquecida pelo poder público, a região se converteu em um centro de disputas sangrentas por terras sem dono e em um dos muitos territórios dominados pelas Forças Armadas Revolucionárias da Colômbia, as Farc – grupo armado que esteve em conflito com o governo colombiano por mais de meio século e para o qual Daniel foi entregue pela família aos onze anos de idade.

As Farc, que assinaram um acordo de paz com o governo da Colômbia em 2016, ambicionavam tomar o poder e usavam métodos violentos em sua campanha, incluindo sequestros. Contam-se milhares de vítimas ao longo de cerca de trinta anos,[1] uma realidade que Daniel conheceria na prática. Além dos sequestros, a cadeia de produção ilegal da cocaína se tornou uma das principais fontes de financiamento dos guerrilheiros e movimenta ainda hoje uma economia que é o único sustento viável de famílias abandonadas à própria sorte, como a de Daniel.

Na maior parte dos casos, essas famílias se envolvem com o cultivo da folha de coca, planta para a qual nunca faltam compradores – violentos, ilegais e armados, mas que pagam pela mercadoria. Pouco, mas pagam.

O cultivo de folha de coca não enriquece ninguém, apesar de ser o primeiro elo da lucrativa cadeia de produção, venda e consumo da cocaína. "Ele alivia a vida da gente", dizia o pai de Daniel, que antes de ser *cocalero* tentou plantar pêssegos e abacaxis, assim como fizeram seus pais. Insistiu nisso porque era teimoso, na opinião da mulher, que, como ele, não estudou. O orgulho, mais do que qualquer informação, o obrigou a tentar o que podia para sobreviver antes de se submeter à lei do silêncio e ao jogo sujo dos grupos armados.

O pequeno sítio, de dois hectares, contava com um riacho de águas límpidas, onde os meninos costumavam brincar e, segundo a lenda local, até onça ia beber água. Ao entardecer, ninguém podia mais perambular por ali. Vai que o animal aparecia.

O rio compensava a falta de água encanada, enquanto a lua cheia, uma semana por mês, fazia as vezes de luz no quintal, porque postes e energia não existiam por aquelas bandas. A roça era tudo o que possuíam, não fosse um detalhe: nunca pertenceu a eles.

Sustentar a família com três colheitas de abacaxi por ano e duas de pêssego era impossível. A barraca ficava montada à beira da estrada. Um ou outro carro ou caminhão parava para comprar frutas e a bebida típica colombiana feita com suco de abacaxi fermentado, a *chicha*.

Conseguiam muito pouco. O estresse pela sobrevivência ditava o ritmo da vida, e a válvula de escape do casal era, muitas vezes, agredir-se mutuamente. Volta e meia, sobrava para as crianças.

Depois de muito ir e vir do sítio para a estrada, surgiu uma esperança. O pai de Daniel se associou a uma cooperativa. Soube do projeto pela boa vontade de um líder comunitário que se deu ao trabalho de ir até lá falar com ele. A ideia: somar esforços de pequenos agricultores, pegar financiamento e contratar transporte para escoar a produção. O pai de Daniel foi a pé até a cidade assinar os papéis como quem paga uma promessa antecipada, prometendo a si mesmo que plantaria mandioca também. Para decepção de todos, o sonho não durou muito, ou melhor, secou aos poucos.

A Colômbia empreendia uma grande campanha de guerra às drogas para abandonar o título de maior produtor mundial de cocaína. Dentre as suas principais armas estavam aeronaves carregadas de glifosato, um composto químico lançado em voos rasantes sobre as plantações, um método agressivo de erradicação de cultivos ilícitos aplicado somente naquele país. O pequeno sítio onde viviam Daniel, os quatro irmãos e os pais entrou na rota dos aviões do governo colombiano escalados para destruir as plantações ilegais de coca.

Na primeira vez que isso aconteceu, em 2000, Daniel correu para se esconder com os irmãos dentro de casa. No dia seguinte, todos passaram mal. Uns vomitaram, outros tiveram diarreia. O instinto da mãe lhe dizia que as coisas estavam ligadas, embora ninguém no posto médico fosse capaz de confirmar sua desconfiança, por medo ou ignorância.

A correlação óbvia acontecia depois da chuva química: as folhas dos abacaxis começavam a secar e a planta morria. Na segunda vez que o avião passou, semanas depois, todos correram para limpar as folhas com a água do rio e salvar alguns pés de abacaxi. Poucos foram poupados.

Quando a destruição se consumou, Daniel viu o pai chorar pela primeira vez diante da plantação seca. Homem só chora por ódio e não por tristeza, o pai foi logo explicando. Indignado, ouviu depois na cooperativa que os aviões estavam despejando veneno sobre todo o país, e custou a acreditar que isso fosse verdade.

Os aviões não sobrevoavam toda a Colômbia, apenas as áreas remotas, inseridas no cultivo ilegal de coca, onde seria perigoso demais mandar que agentes arrancassem os arbustos um a um para poupar outros cultivos e seres vivos. Havia notícias de erradicadores de coca contratados pelo governo mortos por francoatiradores, uma história passada de boca em boca porque jornal ali não havia. Não estava fácil para ninguém.

Naquele ano, com o financiamento do governo americano, a Colômbia intensificara as missões aéreas que destruiriam milhares de hectares cultivados com coca.[2] Desde 1994, a estratégia de pulverizar herbicidas indiscriminadamente atingiu ao menos 1,6 milhão de hectares, ou um hectare a cada cinco minutos.[3] O impressionante número é a soma de pequenas propriedades atingidas, como o sítio da família de Daniel, onde não havia coca plantada. Não ainda.

Na cabeça do pai de Daniel, agora mais esvaziada de sonhos, nada fazia sentido, a não ser a lógica da região onde morava. Quem conseguia produzir pagava pedágios a achacadores para não ter a terra tomada. Improdutivo, ele vinha sendo poupado de extorsões, o que não ia durar muito tempo. Homens de bota preta andavam pela região atrás de soldados e contribuições, o que muitas vezes conseguiam na marra.

Ao ver seu esforço sabotado pelo governo de seu próprio país, o pai de Daniel começou a enxergar sentido no discurso radical que lideranças locais ligadas a grupos guerrilheiros usavam para atrair seguidores. Ele entendeu, sem muito esforço, fazer parte de uma guerra na qual fora inserido por engano. E como sua única vocação era plantar, tomou a decisão que lhe parecia mais acertada. "É coca então que a gente vai fazer crescer aqui. Em três meses estará tudo verde de novo, antes do próximo avião", disse um homem desolado, deixando cair no chão um saco com as mudas da planta que iria pagar sua dívida com a cooperativa e costurar o destino de seu filho mais velho ao negócio da cocaína.

Enquanto centenas de milhares de famílias colombianas desistiam da vida no campo, abandonando o cultivo da coca e de outras culturas para engrossar a horda de pessoas desalojadas pela guerrilha, a família de Daniel, assim como muitas outras no Peru e na Bolívia, foram na direção contrária.[4] Aderiram ao plantio da coca para alimentar a produção de uma droga cujo consumo não dá sinais de trégua em várias partes do mundo, a despeito dos esforços de guerra para combatê-lo.[5]

IRINA

Faltava pouco para metade da viagem. Depois de um dia e sete horas navegando pelo rio Solimões, a embarcação Itapuranga 3, que zarpara do porto de Tabatinga, fronteira do Brasil com a Colômbia, às quatro horas da tarde de terça-feira, passava pela cidade de Jutaí, no Amazonas. O relógio batia onze da noite e boa parte dos passageiros dormia, derrubada pelo cansaço.

Os primeiros raios de sol acordariam todos na manhã seguinte, sem dó. Não havia mais o burburinho das conversas, apenas o barulho do motor e um radinho emitindo uma música sertaneja fora de sintonia.

Irina não conseguia dormir. Com os cotovelos apoiados na murada da popa, olhava pensativa para o rastro de espuma nas águas tornadas negras pela noite. O céu limpo, estrelado e sem lua não permitia que se enxergasse muito longe. Pequenas ilhas fluviais passavam à direita do barco. Árvores brotavam da água cuja superfície estava quase coberta por vegetação no trecho mais próximo à margem. O ambiente a tranquilizava e, ao mesmo tempo, causava temor. Bateu um medo irracional de morrer no meio do nada e ninguém saber, de ser engolida pelo verde para nunca mais voltar.

A barriga não aparecia, mas o terceiro filho estava lá, teimando em crescer contra sua vontade. Contava catorze semanas, a gravidez indesejada. Aos 21 anos, era uma mulher sem perspectivas. Não tinha mais ambições. Metera-se nessa viagem porque ninguém lhe dera conselho melhor.

Dois anos antes o cenário era outro. Casada com o homem de sua vida e mãe de outros dois filhos, não precisava trabalhar. Tinha uma casa confortável na comunidade onde fora morar com Neco e até mesmo empregada. Pensando nisso, sorriu um sorriso que não durou. Então vieram a prisão do marido, as carências, as urgências e as dívidas. Os filhos continuavam lá, e ela se sentia mais sozinha do que gostaria.

Passou a depender de favores constantes para manter a casa e cuidar das crianças. Amigas se afastaram. Os pais, havia muito tempo distantes, já não faziam mais diferença. Nem sequer sabiam onde estava naquele momento a filha única que tanto desgosto lhes deu.

O estômago embrulhava ao se lembrar das revistas vexatórias, humilhação certa quando ia visitar o marido no presídio, a cada quinze dias. O jogo do barco piorava a lembrança nauseante.

Olhou para trás a ver se alguém adivinhava seus pensamentos. Ninguém prestava atenção. Ao se voltar para o rio, deu de ombros para o passado. E daí tudo isso? Conforme o marido gostava de repetir: "Não há nada que o dinheiro não resolva, Galeguinha."

Três filhos até que é um número legal, se você tem como se sustentar, alguém para ajudar e uma casa para morar. Com dinheiro, ele contrata até um bom advogado e sai de lá, pensou quase feliz, e a gente retoma a vida. Poderia trabalhar, quem sabe voltar a estudar. Irina começava a se divertir com seus devaneios.

Tentou focar o olhar nas margens escuras, nenhuma luz. Pequenas ilhas verdes que mais pareciam árvores flutuantes pontuavam a estrada de rio. Respirou o vento úmido com cheiro de mata. Voltara a sonhar. Só não esticou a divagação. Pouco depois da curva do rio, um pelotão de Fuzileiros da Selva havia montado uma blitz.

Irina percebeu algo estranho quando a embarcação reduziu a velocidade e a espuma que a hipnotizava perdeu densidade. O barulho do motor diminuiu. Andou até a proa e viu o barco embicando para atracar na margem. Intuiu que algo ruim estava prestes a acontecer.

"O que é aquilo?", perguntou a um marinheiro, apontando para o pequeno barco onde se viam lanternas e homens de pé.

"É uma patrulha."

"Patrulha!?"

"Uma operação do Exército começou há uns dias, deve ser isso."

Irina sentiu o sangue fugir-lhe do rosto. Caminhou de volta para sua rede no segundo andar e repetiu para si mesma "Isso não está acontecendo". Com as mãos molhadas de suor, deslizou para se recostar na rede. Fingiu dormir. Ouviu a movimentação dos demais passageiros no piso de baixo, passos fazendo ranger o assoalho de madeira do barco. Um tripulante anunciou que a embarcação iria abicar por ordem do Exército. Abicar seria espanhol ou gíria ribeirinha? Não sabia. Com o coração acelerado,

Irina tentava em vão pensar em outra coisa, porque, supersticiosa, acreditava que a imaginação tinha o poder de mudar o curso das histórias.

Revia sem querer todo o filme de sua vida: a infância de filha única bem-tratada, a adolescência rebelde e até a revolta de carregar um nome russo sem ser russa, mas filha de nordestinos, moradora de uma favela. Que ideia a da mãe. Acreditar que ela teria o mesmo destino da filha rica dos diplomatas russos para quem trabalhara como copeira.

Então veio a paixão fulminante que a tiraria de casa, os dois filhos, e agora isso? Por mais que tentasse relaxar e afastar a cena, antecipava o pavor de se imaginar algemada, sendo levada para a Polícia Federal, fichada como traficante. Toda sua vida fora construída em cima de escolhas. Pariu os filhos que quis. Apontou para a casa onde ia morar. Seus planos sempre deram certo e naquele dia não haveria de ser diferente.

O plano, infelizmente, estava torto desde a origem. Tinha sido pensado e decidido no mesmo dia da última visita íntima ao marido na cadeia. Irina chegara ao presídio com o coração apertado, pressentimento da conversa que iram ter. Já estava rolando um buchicho no morro sobre mercadoria vendida e não paga. Neco foi preso devendo muito. Irina soube que seu temor procedia quando Neco começou a falar em caso de vida ou morte.

Ela não queria viajar de novo. Ele replicou que seria morto. Ela argumentou que morreria sozinha, num barco, sem ninguém saber, uma loucura. Não tenho saída, retrucou Neco, num cochicho, limpando os olhos verdes da moça com os polegares e tascando-lhe um beijo apertado nos lábios, antes de se desvencilhar do resto da roupa dela em silêncio. Tonta, Irina achou que ia vomitar. Afastou essa ideia da cabeça para não arruinar a chance que tinham de namorar.

Lençóis separavam o beliche de Neco dos demais. Ficaram em silêncio. Tentou abstrair a náusea provocada pelo cheiro de fritura das marmitas levadas pelas outras mulheres de presos, e pouco se ligou no que estavam fazendo. Detestava o vendedor ambulante de quitutes engordurados. Povo preguiçoso, pensava, em vez de fazer comida caseira compra essas porcarias. Olhou mais uma vez o companheiro nos olhos. Neco tinha a barba cerrada e o cabelo desgrenhado, o seu homem. Quando terminou a parte que lhe cabia, Neco voltou ao assunto.

"Ou eu pago a dívida, Galeguinha, ou eles me apagam aqui. Sou muito novo pra ter a carreira interrompida!"

A visão do corpo do marido perfurado de balas apareceu de imediato roubando-lhe a paz. Não fala assim, Neco, diria Irina, se a voz tivesse saído, porque, de tão baixa, pareceu um assobio. Irina sacudiu a cabeça como se o gesto fosse mandar embora o pensamento negativo. A resistência da moça já tinha começado a falhar e todas as justificativas para não viajar pareciam fugir de sua boca, uma depois da outra, para nunca mais voltar. Ficou muda. "Galega, olha pra mim. Tu vai falar com o Mete-Bala, entendeu?" Neco continuou, sedutor, insistente. "Ele arranja tudo, te passa os nome. Eu só posso confiar em tu porque é dinheiro demais, mercadoria da boa, neguinha", completou com a voz doce que só ele sabia fazer. E encerrou a conversa com o mais convincente dos argumentos: "parte do dinheiro vai poder bancar minha saída daqui".

Sabia que a mais pálida esperança de liberdade mudaria o ânimo da mulher, ora galega, ora neguinha. Instantes depois ela deixaria o presídio animada e com um plano pronto. Ia pagar à vizinha para tomar conta das duas crianças por uns dias. A desculpa seria um tratamento de saúde, numa cidade do interior, onde uma tia generosa a acompanharia e pagaria a conta. A história ia colar.

Seria o tempo necessário para ela ir de avião até Manaus, pegar a lancha rápida para Tabatinga e voltar no mesmo esquema. Sem atravessadores, sobraria mais dinheiro para o casal. Eu mereço esse dinheiro, disse para si mesma, cheia daquela autoconfiança cada vez mais rara desde que Neco fora preso. Tão empolgada estava que nem ligou para os erros de português que Neco cismava em fazer para se misturar ao ambiente do cárcere.

Os dois tinham quase completado o fundamental e sabiam bem as regras do português e da vida que levavam. Se conheceram no último ano em que frequentaram a escola. Em seguida, Irina engravidou, se somando aos milhares de adolescentes brasileiras que buscam na maternidade uma identidade e uma resposta às incertezas de um futuro sem muitas janelas.

Quando virou pai de família, Neco escolheu o que considerou a melhor opção dentre as poucas disponíveis para um jovem sem estudos, nenhuma formação e morador de periferia como ele: se juntou ao tráfico de drogas local. Alguns amigos de infância já faziam parte do negócio e não foi difícil conseguir de cara seu primeiro posto como "vapor". A alternativa na época era se inscrever em uma seleção aberta na comunidade para ajudante de obras do governo. Neco achava que quebrar pedras e carregar sacos de cimento não combinava com ele.

Irina, aos quinze anos, não questionou a escolha do companheiro. Muitas adolescentes como ela namoravam traficantes. Apesar das regras rígidas de conduta e lealdade que precisava seguir, sentia-se respeitada na comunidade e gostava de não ter que se preocupar com o que comer e vestir. Não pensava, nessa época, nos riscos de vida que corriam, e não se importava em contrariar os pais com suas escolhas.

Da primeira vez que encarou a rota amazônica, Irina tinha dezenove anos. Passavam uma temporada no Ceará para Neco ficar longe de novos inimigos. O gosto pela aventura tornava tudo irresistível. Sob efeito do pó, ela não temia nada. Viajaria um mês pelo rio se preciso fosse. Atracaria numa aldeia indígena. Colecionaria histórias para contar. A recompensa mais que pagou o risco. Ganharam tanto dinheiro que, depois de alguns dias de viagem, compraram uma casa escolhida por Irina.

Neco não foi. Já estava fichado e não podia dar esse mole. Ficou em Fortaleza. Mas arranjou tudo, desde a entrega em Letícia, na Colômbia, até o aeroporto de Manaus. Irina embarcaria sem estresse, com a mala despachada para o bagageiro e carregada de pasta de cocaína.

O esquema, pequeno demais, não chamaria atenção da polícia. "Os caras estão de olho em mercadoria grande, que vai de voadora, lanchas que radar não pode pegar, sacou? Tu não, tu vai na boa no barco que ninguém olha porque é muita confusão", disse Neco, sempre tão bem-informado sobre tudo. "É muita água, não dão conta de fiscalizar não. Relaxa", aconselhou. E naquela vez ele teve razão.

Nascida e criada num bairro de classe média baixa que em menos de uma década se transformou numa favela, Irina era 100% carioca. Herdara da família paterna, descendente de holandeses, as características que lhe renderam o apelido de Galega.

A mãe trabalhara muitos anos como copeira para diplomatas russos e se encantara com a jovem filha do casal chamada Irina. Prometeu que, se um dia tivesse uma filha, colocaria este nome nela, e quis o acaso que a menina ainda carregasse olhos esverdeados e pele alva, como a inspiração russa.

De volta ao barco, deitada na rede, Irina teve raiva de destoar tanto da população ribeirinha que ocupava em peso a embarcação. Viu um casal de gringos aventureiros que em nada se parecia com ela. Disfarce uma vírgula, estou chamando atenção, pensou, desesperada. Sentiu um gosto amargo na boca por causa do barco quase parado jogando de um lado para o outro. Devia ter voltado de Tabatinga na lancha rápida também. Seria um dia de viagem apenas. Mas o barco da ida quicando na água a deixara enjoada. Mete-Bala tinha dito que a rota estava em desuso. Sabe nada, aquele moleque. Irina, com os pensamentos a toda, não conseguia relaxar.

Estranho pensar que a pessoa mais próxima informada sobre seu paradeiro era Daniel, o jovem entregador com quem travara um breve encontro em Letícia, a cidade do lado colombiano da fronteira com o Brasil.

Ele parecia contente em vê-la, embora não se conhecessem. Talvez estivesse feliz por outro motivo. Disseram olá, ele entregou a mala, perguntou como ela iria embora. Ela disse "de barco", ao que ele sorriu. *Nada como ser libre, no es, muchacha hermosa?* Riu ao se lembrar do elogio. Bonita em espanhol soa mais bonito ainda. Por que ele falou sobre liberdade? Seria um sinal?

Ao abrir os olhos, Irina deu de cara com um soldado parado diante da rede. Tentou sorrir com naturalidade. Ele foi mais rápido. Também parecia estranhamente feliz por encontrá-la. Forçou uma esticada nos lábios e quase não mostrou os dentes antes de pedir que ela o acompanhasse. Irina levantou, pegou as duas malas rosa enfeitadas com adesivos de países da América do Sul, desceu as escadas do barco como se não tivesse culpa e aguardou com o coração nas mãos, como se não tivesse nada a esconder. Parecia apática, tranquila até, enquanto a bagagem era revirada e seu destino, reescrito.

DANIEL

As sombras da tarde eram figuras compridas no chão quando chegou um grupo de quatro homens e uma mulher, com botas pretas e uniforme camuflado. Dois carregavam armas visíveis, walkie-talkies e braçadeiras com as cores da bandeira da Colômbia. No quintal, Daniel brincava com dois irmãos e uma coleção de cascas de cigarras. O pai tomou a dianteira. Cumprimentou os recém-chegados e pôs-se a conversar baixo de modo que as crianças, agora caladas, não ouvissem.

Da porta do casebre, a mãe acenou para os meninos entrarem. Mas Daniel correu para longe, pisoteando, sem querer, os esqueletos de insetos. A simples suspeita sobre o que estava por vir provocou nele um desarranjo.

Como típico primogênito, Daniel mostrava-se tão responsável que a mãe o considerava grande o suficiente para ser entregue à guerrilha, a ver se entre soldados, ainda que de um exército ilegal, aprendia algum outro ofício e ganhava dinheiro. Havia criança demais para alimentar. Desejavam para o filho um futuro diferente dos *campesinos* mortos de fome como eles.

Com os guerrilheiros, imaginaram os pais, teria refeições diárias, roupas limpas e até telefone. Ainda deixaria de ser fresco, porque aquele menino, quase delicado, dava motivo para certa preocupação. Nem adiantava bater. Era o único que reclamava de banho gelado no rio. Não seria a primeira família a recorrer a esse expediente para fugir das dificuldades.

Daqui a uns anos, a gente reencontra Daniel, prometeram um ao outro sem nenhuma convicção quando a noite ia longe. Os meninos dormiam e o único barulho em torno da consciência do casal vinha da cantoria de grilos e de outros animais distantes na mata. Falaram por falar. Acuados pelas ações do governo para erradicar o plantio de coca, e temendo as consequências de entregar as folhas para narcotraficantes de grupos distintos, os dois sabiam que a vida jamais voltaria a ser como antes, até mesmo porque nem eles estariam mais lá. "Amanhã falo com Daniel", encerrou o pai.

O pai introduzira a novidade depois de alguns tragos e sem meias palavras. Com o filho mais velho, conversava feito gente grande, porque este já tinha onze anos, ora. Com a mesma idade, o pai se tornara o homem da casa. Foi logo compartilhando sua preocupação com a andança de grupos paramilitares pela região. Esses bandidos incendiaram casas, tomaram terras e expulsaram os agricultores.

"Faremos uma cerca, papai", Daniel sugeriu.

"Qualquer hora chegam atrás da coca que produzimos", retrucou o pai. "Querem o fim de gente humilde como nós e ninguém está aqui para nos defender. Vamos embora antes que seus irmãos morram de fome."

"E a nossa colheita, viu os pés de mandioca escondendo os arbustos, meu pai?"

"Você vai lutar contra esse governo que não trata com respeito gente que trabalha de verdade."

"Pensei numa cobertura de palha para o veneno não pegar a planta e sei que posso fazer, papai."

Daniel mudava de assunto. Em vão. O pai não estava acostumado a ouvi-lo e suas estratégias infantis não fariam diferença. "Você não será como nós", o pai seguia discursando para si mesmo como fez a vida inteira. "Vai aprender a ler e até falar outra língua além do espanhol. É russo", anunciou, fingindo entusiasmo e empurrando ouvido adentro do menino palavras que jamais citara: crise humanitária, justiça social, reforma agrária, oligarquias.

"Isso é russo, papai?"

"Queremos que todos comam, que tenham casas, e só vamos conseguir isso pegando em armas. Você fará isso por nós, que apanhamos calados."

"Vou?"

Essa pergunta curta, Daniel apenas pensou. Sua boca não abriu mais e todas as palavras ficaram presas lá dentro. A mãe acha isso? Eu vou lutar contra quem? Mais interrogações se agitavam dentro da cabeça. A agonia de Daniel à espera das respostas durou duas semanas. No décimo quinto dia, ao entardecer, vieram buscá-lo.

Superada a diarreia de fundo emocional, Daniel voltou para casa com a cara fechada. Encontrou os pais do lado de fora. Procurou socorro no olhar da mãe, mas ela entrou para a cozinha, onde pôs-se a preparar o jantar. Tinha mais o que fazer. O pequeno Juán, com a espontaneidade das crianças de cinco anos e indiferente à palmada que a ousadia poderia lhe custar, perguntou aonde Daniel ia e se o irmão voltaria. Com a testa em permanente vinco e a expressão de quem acabara de perder as palavras certas e as erradas também, o pai entregou uma pequena bolsa ao menino e sinalizou com a cabeça que era hora de partir. Juán chorou, e esse foi o último som emitido na casa, lugar para o qual Daniel jamais retornaria.

A única mulher do grupo – uma jovem morena cor de jambo e com longa trança no cabelo chamada Angelica – estendeu a mão para Daniel. Saíram caminhando até onde a caminhonete com tração nas quatro rodas ficara estacionada.

"Muito pequeno, não tem nem doze anos. Não vai aguentar uma arma", disse Angelica, quase resmungando, assim que deixaram o sítio.

"Vamos ter que te alimentar pra ver se cresce, *menudo*, porque assim não vai passar de mensageiro", disse, zombeteiro, León, um homem barbado cujo sorriso constante não inspirava confiança nem em Daniel nem em ninguém.

E foi assim que, no mesmo dia em que deixou para trás a família e um lar, Daniel perdeu o nome também. Passou a ser Menudo, miúdo em espanhol. Pela primeira vez num carro, descobriu que, para não pensar, bastava deixar a cara na janela. O vento batia de frente e secava lágrimas, espanava pensamentos incômodos e fazia Daniel acreditar que a viagem de três horas por uma estrada vicinal de terra não passava de uma aventura, a primeira de muitas.

"Mais um pra luta!", anunciou Angelica, a mulher de mal com a vida, assim que chegaram ao acampamento das Farc. "Esse é o exército do povo, se você não falar com ninguém, vai deixar de ser *Menudo* para ser *Callado*", avisou.

Daniel, que até então só encarara o vento de frente, levantou o olhar e reparou que, ao redor, havia meninos pouco maiores do que ele trajando uniformes, como em um pátio escolar que jamais frequentou.

Sob pressão da opinião internacional e a acusação de serem terroristas e narcotraficantes, líderes das Farc tinham se comprometido a não permitir o recrutamento de menores de quinze anos.⁶ A prática, porém, não casava com o discurso. Daniel e centenas de outras crianças continuariam sendo levadas para as frentes de batalha durante muitos anos ainda.

Desiludidos pelas perdas constantes de colheita de coca, que rendia mais problemas do que dinheiro, os pais de Daniel resolveram se juntar à horda de deslocados internos da Colômbia, os refugiados que não cruzam fronteiras internacionais, grupo que, em 2014, estaria na casa dos 6 milhões de pessoas.⁷ Fugiram do campo para se amontoar em um cortiço no entorno de Bogotá sem levar quase nada. Tinham muito pouco, afinal. Deixaram para trás a casa de pau a pique e dois dos cinco rebentos: o bebê de um ano, adotado por um comerciante da região, e Daniel, entregue às Farc. Tomadas as decisões que mudariam a vida de todos, partiram o casal e os três filhos do meio, certos de que cinco bocas ainda era um número demasiado grande para sustentar.

Muitos adolescentes colombianos, moradores de áreas remotas, onde emprego e colheitas não brotam, sentem-se atraídos pelas promessas da vida em bando. Em terra de ninguém, onde leis e direitos não valem, o glamour está em vestir uniforme, sentir-se parte de algo maior. O luxo é comer, sentir-se respeitado, temido, e vingar-se dos adversários. São jovens que não conhecem outro modo de vida. Daniel seria um deles durante um tempo.

IRINA

"O dono da droga estava no barco?", perguntou pela terceira vez o delegado da Polícia Federal de plantão na delegacia de Tabatinga, fronteira com a Colômbia, para onde Irina fora levada depois do flagrante. O delegado era um jovem de sotaque sulista que insistia em falar devagar, bebericando um chimarrão, como se não estivesse impaciente. Irina continuou calada, com a cabeça divagando nos últimos instantes da viagem interrompida.

Quando acabou a revista sem que a blitz encontrasse nada, Irina chegou a acreditar que escaparia. Afinal, era pouco provável que ela, nesse tráfico formiga, fosse pega. A esperança só se desfez quando o soldado sacou um estilete para rasgar o couro falso das malas. De tão afiada, a lâmina cortou também o lacre de plástico que protegia a droga, permitindo que a pasta brotasse da bagagem e terminasse de romper o fio de otimismo que ligava Irina à liberdade.

Toda sua vida acabara de ser confiscada. Ela pareceu surpresa ao ver a droga, escondida lá desde sempre. Sentiu-se personagem de um pesadelo sonhado por outra pessoa. Aquele roteiro não foi ela quem escreveu nem imaginou. Irina embarcou na lancha do Exército algemada, sentindo que jamais voltaria a pisar em terra firme de novo. A voz do delegado a puxou de volta à realidade.

"Duas malas? Seis quilos de cloridrato de cocaína não é muita coisa para uma moça carregar sozinha não? Você quer que eu acredite que você viajava só?"

O delegado fez a pergunta em parcelas interrompidas por goles de chimarrão. Irina nunca tinha visto aquele tipo de copo com um canudo de ferro. Acompanhou os movimentos com os olhos para, em seguida, lembrar-se do encontro com Mete-Bala, traficantezinho de merda que assumira a boca no lugar de Neco. Estava se achando o dono do mundo agora com aquele sorrisinho permanente de deboche que parecia ameaçar até a mãe enquanto falava.

"Galega, tu vai voltar com a parada toda pra gente. É mercadoria boa, puríssima, e isso é coisa do teu homem, cheio dos bons relacionamentos..."

Irina sorriu por não saber o que comentar. Mete-Bala continuou: "E fica tranquila porque a *pulícia* não tá atrás de gente como tu não..."

Disse isso enfiando as mãos nos bolsos da bermuda e tirando de lá um papel dobrado, gesto que realçou os músculos dos braços magros. "Aqui tá o contato. Decora essa porra e joga fora o papel. Liga para o cara assim que chegar em Letícia que ele te passa o local do encontro."

Irina não jogara fora o papel. Bobagem. Que mal havia em carregar um papelzinho dobrado? Depois que aterrissou em Manaus, pegou o barco rumo a Tabatinga, que formava com a cidade colombiana de Letícia um mesmo complexo urbano de dupla nacionalidade. Dois países, duas cidades numa única geografia. Difícil saber onde terminava uma e começava outra. Tinha sido a parte mais tranquila da viagem, apesar dos maços de dólares escondidos no corpo e na bolsa.

Escapara de raios X, revistas e olhares. Nascida para se dar bem, pensou.

De um lado, o Brasil, do outro, a Colômbia. Chegou a rir sozinha quando viu que, do lado de lá da rua, longe de policiais, soldados ou qualquer barreira, estava seu destino. Fácil assim. Nada poderia dar errado.

"Se tu for pega… fica firme, calada, morre muda. Se tu entregar o cara lá da Colômbia, mandam te matar ali mesmo."

A frase ainda repercutia dentro dela: "mandam te matar…". Garoto folgado aquele. Não tinha a menor ideia de onde ela estava. Isso era jeito de falar? Ela entrega se quiser, como bem entender.

"Você pode continuar em silêncio mas agora vou te interrogar e, ao fim desta conversa, você estará autuada por tráfico internacional de drogas. Entendeu a gravidade da situação ou quer que eu desenhe?"

Pela primeira vez, o delegado demonstrava alguma irritação. Irina pousou a mão direita discretamente sobre a barriga e não conseguiu esconder a careta quando um gosto azedo chegou à boca. Ela piscou devagar e olhou para o lado, quase em câmera lenta, antes de vomitar. Acostumado que estava aos azares das mulheres que passavam pela delegacia, o delegado desconfiou. Elas nunca estavam sozinhas. Se não vinham carregando filho dentro, tinham deixado menino fora.

"Você tá grávida? O filho da puta que te botou nessa história sabia disso?"

De cabeça baixa, Irina tentava se refazer. Ele aproveitou o momento de vulnerabilidade para tentar arrancar mais informação. Era seu papel.

"Quanto te pagaram para fazer isso?"

"Não me pagaram."

"Boa samaritana? Estava devendo favor? Só faltava essa…"

"A droga é minha."

"Você não engoliu nada não, né? Seria burrice demais para minha cabeça", disse, empurrando a cadeira para trás e indo até a porta gritar por um pano molhado e uma vassoura. "Se eu fosse você não diria isso no depoimento porque pode piorar sua situação, e aproveita que estou te dando esse conselho de graça. Tem uma pia ali fora, vai se lavar."

"Não preciso de conselho", disse, forçando a voz, que saiu como um fiapo.

"A senhora, dona moça, não está em condições de dispensar a ajuda seja de quem for porque quem te passou essas malas não vai aparecer para livrar sua cara, entendeu? Você está no meio do nada, em deus me livre, já ouviu falar? Tem ideia do lugar onde você veio parar?"

Um funcionário apareceu, limpou o chão e sumiu rapidamente com a vassoura e o pano. Cabeça pendente, Irina conferiu discretamente no canto da sala as duas malas apreendidas. Eram o passaporte da liberdade do marido, a vida nova. O sonho continuava rasgado no chão. Sobre a mesa do delegado, havia uma pequena imagem de Nossa Senhora Aparecida, um calendário de papelão do Grêmio e a cuia de chimarrão. Na parede, um cocar indígena de penas vermelhas chamava mais atenção do que o crucifixo de madeira e fez Irina lembrar-se do dia em que seus meninos usaram pasta de dente e ketchup para fazer uma pintura de guerra e brincar de índio em casa. Ela bateu nos dois, cansada e impaciente, como sempre. Neco caiu na gargalhada ao ouvir a história. O despertar dessa memória baixou ainda mais a guarda de Irina.

"Ganhei ao visitar uma tribo indígena há uns cinco anos", disse o delegado, tentando amenizar o clima, antes de começar o interrogatório. "Guris?"

"Dois."

"Com quem eles estão?"

"Com uma amiga."

"Casada?"

"Sou."

"Teu marido sabe que você tá aqui?"

Silêncio.

"Cadê o malandro que te deixou nesta furada?"

"Ele não é malandro."

"Tá bem, dona. Foi o marido que mandou. Onde está?"

Silêncio.

"Você não quer telefonar para ele?"

Ao perceber que não tinha para quem ligar, Irina desarmou o espírito.

"Ele está preso."

O delegado passou as duas mãos pelo cabelo e se esticou para trás na cadeira. O escrivão — um homem mulato, alto e gordo, que parecia ter sido acordado havia pouco — mostrava-se impaciente para começar logo o depoimento. Estava ali a contragosto. Com os óculos caídos na ponta do nariz e o queixo apoiado na mão, conferia, sem levantar os olhos, a hora no pulso. Um relógio digital com luz laranja na estante de ferro atrás da cadeira do delegado indicava 2h30 da madrugada. A sala, pequena e sem conforto, registrava uns dez graus a menos do que o exterior. O delegado suspirou antes de falar.

"Eu vou te contar uma história. Outro dia, numa operação aqui, a gente foi na casa de um sujeito porque entregaram ele. Chegando lá, tinha aquela criançada, sabe, todos filhos dele. Não sei quantos, brincando no quintal daquela casa simples com uma pequena horta nos fundos. Pedreiro, com pouco serviço. Vivia disso. Mas estava escondendo cem quilos de cocaína. Você deve ter uma ideia de quanto isso vale. Pois é, ele não. Tive que prender o sujeito. Aquele monte de crianças agora não tem pai. Sabe quanto ele ganhou pelo 'favor'? Trezentos reais. Trezentos reais!", repetiu, enfatizando sua incredulidade. "O juiz que o condenou à prisão ficou tão mal que passou a levar cesta básica para mais essa família destruída. Estou um pouco cansado disso e olha que só tenho dez anos de Polícia Federal…"

Os olhos de Irina marejaram quando ela voltou a olhar o cocar. Dessa vez, não foi capaz de conter as lágrimas.

"Você deve estar com medo e não te culpo. No final, vocês todos só ficam com trezentos mesmo… Mas é muita burrice contar com a sorte, ouviu? Achou que ia voltar para o Rio com essas malas 'hecho en Colombia' recheadas? Isso é tráfico internacional, dona, porque não tem esse sal aí no Brasil, não. Quase todos os aeroportos têm raios X. Estamos fechando o cerco…"

Irina levantou o rosto e o encarou novamente. Estreitou os olhos e soltou as palavras junto com o fôlego.

"Fechando o cerco? Num leva a mal não, mas neguinho tá cheirando mais do que nunca."

Irina ganhou confiança apesar da expressão irônica que viu surgir no rosto do policial e do leve balançar de cabeça de quem não concordava com nada do que ela dizia.

"Meu marido nunca matou ninguém e agora tem outro no lugar dele na boca, ganhando o que ele ganhava...", disse, se esforçando para rir enquanto lágrimas escorriam pelo rosto. Pensou mais do que queria dizer. Seu repertório de palavras e histórias havia, de uma hora para outra, desaparecido.

Irina depôs em dez minutos e saiu algemada da sala. O delegado arrumava papéis numa pasta quando o escrivão desatou a falar sozinho.

"Quando entrei para a polícia, meu pai me disse que eu teria feito melhor se virasse lixeiro porque esse sim deixa a cidade limpa. Polícia enxuga gelo, dizia o velho, rabugento do jeito que os velhos ficam, e eu achava que era para pegar no meu pé, e hoje eu acho que ele tem um pouco de razão..."

O delegado deu um sorriso seco. "Chega por hoje."

Irina passou o resto da noite em claro e sozinha numa cela da delegacia. Chorou mais algumas vezes sem que ninguém notasse. No dia seguinte, foi transferida para a ala feminina do presídio local, onde ficou cinco meses como presa provisória. Seus dois filhos foram levados para um abrigo no Rio de Janeiro, notícia que recebeu com três meses de atraso. Já no final da gestação, graças à intervenção de uma defensora pública do Amazonas, ela conseguiu transferência para um presídio no Rio, onde teria seu terceiro filho e ficaria mais nove meses e meio – tempo de outra gestação – aguardando julgamento.

DANIEL

Em seu primeiro dia no acampamento, Daniel conheceu Bernardo, um jovem bonito com jeito de veterano e discurso prolixo, encarregado de uma pequena tropa de dezenas de meninos e meninas como ele. Chegou pisando firme e com o sorriso largo. Portava um walkie-talkie na cintura, uma faca protegida por uma capa de couro, da qual só se enxergava o cabo, e um boné, que sacou num gesto rápido para enfiar na cabeça de Daniel. "Este será teu, Menudo." A surpresa arrancou o primeiro sorriso do recém-chegado.

Há oito anos na guerrilha, Bernardo era encarregado de estabelecer contato com possíveis recrutas, recepcioná-los e comandar treinamentos básicos. Talhado para seduzir, encarnava a propaganda perfeita do movimento. No mesmo grupo de Daniel, serviam outros jovens cujas expressões iam do espanto ao deslumbramento.

"Vamos começar alguns treinamentos básicos porque aqui vocês aprenderão a usar armas e muitas técnicas avançadas de combate. Vocês integram o exército do povo e crescerão para serem respeitados como pessoas fortes. Nosso objetivo é construir um país justo", disse Bernardo, solene, fazendo pausas para acomodar as expectativas de seu novo rebanho.

Um rapaz ainda sem uniforme perguntou quando começariam a ganhar dinheiro, o que acendeu uma fagulha de otimismo em Daniel e provocou uma gargalhada espontânea em Bernardo. "Muito em breve", disse Bernardo, entre pigarros. "É muita ansiedade, não é? Vocês têm que provar que merecem. Saiba, companheiro, que sua família já foi indenizada. Seus pais receberam dinheiro para deixá-los aqui. Em troca, cuidaremos de você, com roupas novas, casa e amigos para toda a vida", disse, enfatizando ao máximo o que lhe pareciam vantagens óbvias de um alistamento que, para alguns, como Daniel, não tinha sido uma escolha pessoal.

Era o início de muitas mentiras, mas Daniel não sabia e foi concordando com todos os argumentos apresentados. Nunca ninguém lhe dera presentes na vida, nem seus pais. Ainda encantado com o boné e de ouvidos atentos ao que deveria aprender, Daniel assimilou que a nova perspectiva parecia melhor do que limpar folhas borrifadas por veneno. Não vomitaria mais. E ainda teria um salário, se merecesse. Bernardo carregava um crucifixo de prata num cordão de couro. Só podia ser bom, começou a acreditar.

Daniel passou os primeiros dias feliz, lavando fardas, e logo seria promovido ao grupo que limpava armas. Vestido com um uniforme camuflado, renovou esperanças sobre o futuro, tempo que jamais aprendera a conjugar. Em casa, vivia o presente, um dia depois do outro. No acampamento, foi treinado para pensar numa causa da qual pouco ou quase nada sabia.

Bernardo e Angelica, sem consciência disso, foram promovidos às funções de pai e mãe. Daniel os admirava e, sem filtro, absorvia críticas, elogios e orientações. Copiou o jeito de Bernardo andar e falar.

Angelica, mesmo rigorosa em suas observações, tinha se compadecido de seu recruta e agia de forma mais amorosa do que a mãe biológica. Riu do medo de água fria e deu a dica para que ele entrasse no banho após os exercícios, praticados toda manhã. "Suado você sofrerá menos, Menudo." Até isso era novidade. Ensinou-lhe noções de autodefesa, cortou os cabelos dele e fortaleceu a sensação de que, um dia, ele seria alguém na guerrilha.

As primeiras noites lhe pareceram ainda divertidas. Sentados em torno de fogueiras, dançavam, cantavam e ouviam histórias de batalhas contadas por Bernardo e outros líderes. Soube de heróis mortos e conheceu feridos, gente que exibia cicatrizes como provas do que falavam.

As primeiras semanas passaram voando, tantas eram as novidades. Ouvira entre murmúrios que algumas crianças poderiam deixar o movimento, se os pais viessem buscar. Daniel não queria estar ali, mas achava que não havia chegado a hora de retornar. Incapaz de discernir entre bons e maus motivos para justificar a decisão dos pais, ele lutava contra a tristeza que ameaçava se instalar, esse desconforto que o impedia de se interessar pelas novidades. Toda vez que a ideia de voltar para casa ressurgia, desavisada, inflando de esperança sua mente ainda infantil, Daniel tinha pesadelos com o choro de Juán.

Até então, a guerra civil que dominava o país e justificava tantos recrutamentos continuava como algo distante. Daniel não entendia que estava ali para integrar uma batalha, mais cedo ou mais tarde. Ele seguia impressionado com a experiência de dormir ao lado de dezenas de jovens soldados, cansado, depois de um dia duro de treinamento, estirado sob uma tenda, numa parte da mata pouco fechada, quase acolhedora, como seu quintal.

O clima de sedução começou a dar sinais de desgaste quando León, que desde o dia do recrutamento no sítio mantivera-se alheio a Daniel, chamou-o para uma missão especial com mais três garotos que se destacavam por falar demais.

"Sigam-me", disse, sem fixar o olhar nos meninos.

O grupo se enveredou por uma picada na mata até uma clareira onde dois soldados mantinham um jovem guerrilheiro amarrado a um tronco. Daniel não entendeu o que Oscar, aquele garoto com traços indígenas, recrutado à força, pelo que diziam, fazia naquela situação.

"Ele é um traidor", disse León, monocórdio, dono de olhos que nunca se abriam por inteiro. "Tentou fugir. E eu gostaria que vocês entendessem o que acontece com um traidor."

Daniel esperava assistir a uma surra, daquelas que o pai dava neles quando faziam algo errado, mas o que se seguiu foi muito pior. Tortura ainda não era uma palavra do seu vocabulário; o significado, no entanto, acabara de entrar em sua vida. Daniel virou o rosto, mas León colocou uma faca em sua mão e ordenou "sua vez", depois de explicar que uma recusa seria motivo para ele ter o mesmo destino. Fora de si, Daniel avançou contra Oscar e, em seguida, desmaiou.

Naquele dia na mata, a morte ganhara um corpo. Depois, teria muitas outras caras. A infância começava a dar adeus a Daniel, não sem antes oferecer-lhe um pouco de consolo.

Na manhã seguinte ao pesadelo da tortura, Daniel acordou sobressaltado antes do despertar coletivo e encontrou ao lado de seu saco de dormir uma pequena caixa de papelão com cinco cascas de cigarra. Surpreso, sentou-se, enfileirou os insetos secos e deixou-se ficar por um instante absorto antes de se questionar quem fizera aquilo. Temeroso de estar sendo observado, olhou ao redor e se deparou com Angelica, à distância e com um meio sorriso no rosto.

Passados alguns meses, Daniel foi designado para uma frente da guerrilha encarregada de um sequestro. Partiu como o mais jovem integrante de um grupo de trinta soldados para uma caminhada extenuante de três dias. Carregou os próprios pertences e um kit de sobrevivência com lanternas, alimento enlatado, abridor e uma garrafa de água. Pesava. Carregou também um tanto de fingimento. Ninguém ali diria que ele tinha medo, que suas mãos suavam, que seu coração disparava.

Discreto e observador, sua missão consistia em embrenhar-se na selva com uma comitiva reduzida, procurando a presença de inimigos. Mais adiante, seria orientado a montar guarda de prisioneiros e a conduzir pequenas embarcações. Chegava assim ao núcleo quente da aventura tão dócil no início. A guerrilha revelava seu lado intempestivo, que destruía famílias e sonhos, isolava, matava e oferecia, em troca, uma doutrina questionável.

Angelica, para sorte dele, integrava a mesma frente e pôde continuar desempenhando o papel de mãe involuntária. Entre broncas e conversas, ela se tornara o mais importante vínculo emocional de Daniel, que nas poucas horas de descanso penteava o cabelo da companheira, sonhando, quem sabe, ser cabeleireiro numa cidade grande, um devaneio muito bem guardado para si depois de ver fotos numa revista antiga.

"Angelica, nada ficará melhor, não é verdade?", perguntou Daniel, no escuro, deitado na rede, a poucos metros da moça.

"Que conversa é essa, Menudo?"

"Ninguém sabe que estamos aqui, não faz diferença..."

Angelica se levantou, agachou-se ao lado dele e soltou a voz num sussurro.

"Não sabe que é proibido drogas no acampamento?"

Daniel se sentou na rede e riu.

"Que besteira é essa? Não usei nada. Estou te contando meus pensamentos", disse Daniel, que não ousava falar em sonhos. Meninos como ele não devem sonhar demais, dizia a mãe. "Tem quase dois anos que vim para a guerrilha, mal sei ler, nunca ganhei salário, não tenho nada, não vou reencontrar meus irmãos. Nada disso faz sentido. Faz para você? Por que você está aqui? Não quer ter filhos? Casar?"

Angelica apoiou o indicador sobre os lábios em sinal de silêncio, incomodada.

"Não vale a pena fazer tantas perguntas, Menudo. As coisas são como são. Agora durma e pare de me amolar."

"Angelica, precisamos sair daqui, eu não quero mais lutar, tenho medo, não quero morrer", disse agoniado. "Eu já vi muita gente morta e detesto isso", completou, aflito. "Eu gosto de pentear seus cabelos..." Essa frase Daniel não disse, ficou apenas nos pensamentos agoniados daquela noite, que ele enfrentaria acordado. Ele também entendeu que não deveria perturbar Angelica com um segredo que poderia custar a vida dos dois e passou a alimentar o desejo de fugir.

Durante os anos que permaneceu na selva, Daniel acostumou-se a caminhar por túneis de vegetação tão verdes e densos que mal distinguia o dia da noite. Perdeu o medo de água fria. Em riachos que serpenteavam quase de propósito para confundir eventuais rastreadores, aprendeu a confiar na natureza. Na prática, assimilou uma dura lição: não estamos no controle de nada. E, mais por necessidade do que por convicção, passou a acreditar em Deus. Testemunha de três sequestros, viu homens ricos chorarem como crianças, mulheres reduzidas a trapos, consumidas por doenças que desconhecia, e crianças sendo enterradas logo atrás dele depois de lutarem como se fossem homens. Ouviu impropérios e foi alvo de pragas que o assustaram. A vulnerabilidade humana o consumia.

Bombas explodiram e balas ricochetearam no verde denso e variado da Amazônia colombiana. No entanto, no dia em que uma patrulha do Exército ameaçou desmantelar a frente na qual Daniel servia, ele mal conhecia os segredos da selva. Atingido de raspão, perdeu muito sangue e parte da orelha esquerda, e ficou com outros feridos na enfermaria improvisada. Angelica tomou conta dele o quanto pôde, inclusive durante a infecção que quase o matou, mas não tinha poderes para evitar o abuso cometido por um dos líderes, que de tempos em tempos escolhia um menino para chamar de seu.

Três anos depois do acidente, Daniel continuava mirrado, mas sua beleza imberbe evoluíra para feições de um jovem rapaz. Privado de sono e submetido à pesada rotina de treinamento e de caminhada dos guerrilheiros, não era mesmo esperado que tivesse crescido muito aos quinze anos. "Milagres não costumam acontecer para gente como nós", ensinava a mãe. Daniel aprendeu. Se não tinha milagre, ele daria um jeito de se tornar santo. Por isso, encarou durante anos as noites na tenda do comandante como a expiação dos pecados que, com certeza, cometeu. E quando chorou, chorou por ódio e não por tristeza.

Ciente do que se passava, Angelica seguia alfabetizando Daniel e permitindo que ele penteasse e lavasse seus cabelos durante o banho no rio, o que ele fazia como um ritual sagrado. Sempre que viável, entrava com ele muda na água e o abraçava como se ele fosse algum filho que ela nunca concebeu. De abraço em abraço, e sem dizer palavra, Daniel renasceu tantas vezes dentro da mata que foi capaz de cultivar sozinho o plano que o tiraria da guerrilha depois de todos esses acontecimentos. Angelica não sabia o que ele pretendia fazer, mas foi por muito tempo o escudo para as feridas que ninguém enxergava, apenas ela intuía.

O primeiro passo da fuga espetacular seria garantir novos postos longe da selva. E foi o que aconteceu. Avisada em cima da hora, Angelica ficou pálida, seus lábios tremeram e tudo o que conseguiu balbuciar foi "boa sorte". Daniel partiu com a sensação de ter ouvido de novo o choro de Juán, o caçula.

Mudou-se para uma pequena cidade em território dominado pelas Farc e começou a participar de operações de tráfico de drogas ligadas ao financiamento da estrutura que os mantinha. Para suprir a falta de dinheiro, um problema recorrente, alguém precisava vir com ideias brilhantes. E Daniel tinha. Não demorou muito a desvencilhar-se do comandante que o assediava, visto que, rapidamente, o homem encontrou um menino mais novo para usar.

Em pouco tempo, depois de ganhar a confiança dos líderes, Daniel ofereceu-se como intermediador de um perigoso negócio com traficantes na fronteira com o Brasil. Hábil nas negociações, partiu num comboio que levava drogas e contrabando, viajando por dois dias de barco até Letícia, a cidade limítrofe, onde algumas entregas seriam realizadas e de onde despachariam um pequeno avião carregado de drogas para os Estados Unidos. Caminhando pelas ruas estreitas e sem calçamento de Letícia, Daniel ainda não tinha ideia de como abandonaria aquela guerra que consumira seis anos de sua vida.

Ouvira falar que a guerrilha havia devolvido milhares de menores de idade cooptados. A intenção não declarada dos líderes era não agravar as penas se um dia fossem capturados e julgados. Até a guerra tem suas leis. No limite da maioridade, Daniel temia não ser aceito caso se entregasse ao Exército colombiano. Não se sentia vítima, vestira o uniforme inimigo e tinha dúvidas sobre o quanto suas convicções bastariam para que dessem a ele uma nova chance.

A oportunidade de fuga surgiu quase sem querer quando o escolheram para entregar uma mala a uma intermediária brasileira, "uma moça que não oferece perigo e está hospedada na pousada de paredes rosa e janelas brancas daqui a duas quadras", explicaram. O primeiro entregador levou uma mala menor recheada de cocaína e voltara com o dinheiro. A Daniel bastaria entregar a mala restante. Segurou-a pela alça e saiu do casebre onde estava alojado com cinco homens para nunca mais voltar.

Ao chegar à casa rosa, Daniel passou pela recepção vazia. Uma toalha verde forrava a bancada de madeira que apoiava um rádio ligado bem baixinho. Parecia o lar de alguém, rearranjado para receber hóspedes. De onde estava, enxergou a cozinha escura com uma janela trancada e levou um susto quando Irina surgiu silenciosa pelo corredor. Daniel nunca tinha visto uma mulher com olhos claros e cabelos louros. Irina vestia uma camiseta preta e bermuda jeans, usava um rabo de cavalo. Daniel sorriu aliviado.

"Tenho algo para você, parece."

"Estou vendo", ela disse, séria, esticando o braço para pegar a mala.

"Negócio grande, hein."

"Hum-hum."

Um estrondo anunciava a tempestade. Uma rajada de vento fez a porta bater. Daniel olhou rapidamente para fora, comentou que ia chover muito. Irina, sem entender o que ele tinha dito, perguntou, hesitante:

"Como você vai embora?"

"De guarda-chuva, talvez."

Daniel riu.

Irina também, e por fim falou: "Vou embora de barco."

"Nada como ser livre, não é, moça bonita? Preciso ir, vou lavar a alma agora."

Irina franziu a testa mas sorriu de volta.

Na calçada, Daniel olhou para um lado, para o outro, e correu desesperadamente. Saltava e pisava nas poças de lama que não conseguia evitar. Em certo momento, riu até gargalhar buscando ar. Só parou quando avistou um posto do Exército colombiano, ao qual chegou encharcado, ofegante e quase em pânico. De tudo o que havia feito nos últimos seis anos, nada lhe pareceu tão perigoso e arriscado como aquela fuga. Daniel foi preso, mas, depois que um grupo armado tentou invadir a delegacia onde ele passou algumas noites, acabou transferido com outros menores para um abrigo em Bogotá. A transferência saiu depois que um defensor conseguiu incluí-lo em um programa de reinserção de ex-combatentes, mas não sem antes ameaçar divulgar o caso com a ajuda de uma cinedocumentarista brasileira que passava pela cidade investigando bastidores do narcotráfico.

Sentado num banco de madeira no pátio da escola, Daniel estava cercado de meninos menores e contava como árvores desviam a trajetória de balas, que o primeiro estampido provoca uma revoada de pássaros e que explosões fortes abafam os sons da guerra. Quando um tiro de raspão levou parte de sua orelha, Daniel ficou surdo. Recuperou – mal – a audição do ouvido direito dias depois; a do esquerdo, nunca mais.

"Parece que você morreu quando tudo fica em silêncio. Mas eu ainda enxergava, por isso fiquei espiando o céu porque se os pássaros voltassem para levar minha alma, era sinal de que eu tava morto."

Daniel repete em tom de mistério as histórias contadas nos acampamentos, o que o torna interessante para outros adolescentes e preocupante para os pais.

"Esse rapaz… não é perigoso?" é pergunta feita com frequência para a diretora da escola pública que Daniel frequenta desde o resgate. Ela diz "não, não é", com a experiência de quem viu casos muito piores passarem por ali em projetos audaciosos de reintegração de ex-combatentes.

O bom humor de Daniel é uma defesa bem-montada, porque nem tudo ele conta, e é por essas e outras que a diretora da escola o considera inofensivo. Ele poupa seus ouvintes dos detalhes doídos, como a noite em que passou a frequentar a tenda de um dos comandantes. Daniel tem muitas perguntas e histórias que nunca saíram de dentro da boca.

Pouco depois da festa do Dia das Bruxas, uma jovem chamada Rosita foi morar no abrigo, com tranças que trouxeram de volta a lembrança de Angelica e uma história de quase um ano por engano nas Farc. Rosita reencontrou a família no mesmo ano em que Daniel atingiu a maioridade e deixou o abrigo, não sem antes viver com ele um intenso e apaixonado namoro. O romance também recuperou memórias de um mundo contido em banhos gelados de rio, noites enluaradas, um casal de pessoas humildes que construíra um casebre de pau a pique para amontoar os filhos.

Daniel sabia que havia poucas chances de reencontrar a família, mas, só por existir, a esperança o ajudava a cicatrizar as feridas da guerra porque dava sentido à sua história. Ainda no abrigo, fez um curso profissionalizante e virou auxiliar de cabeleireiro numa rede de salões de beleza com várias filiais espalhadas por Bogotá. Não chegou a terminar os estudos, mas melhorou a leitura. Passou a trabalhar em um shopping da região central da cidade. Poucos dias antes, uma assistente social entregara a ele o endereço de um assentamento rural perto de Medellín, onde provavelmente viviam seus pais. Daniel juntava dinheiro para realizar a viagem, adiada para depois do nascimento do bebê. Rosita estava grávida do primeiro filho do casal e eles não queriam se arriscar. Certa tarde chuvosa de verão, Daniel foi surpreendido no trabalho por uma visita, mas só percebeu quem era depois que ela falou mais alto e perto de seu ouvido direito:

"Pode lavar meu cabelo, Menudo?"

METE-BALA

Eram quatro horas da tarde e a sensação térmica no campinho sem sombra do alto da favela continuava a mesma do meio-dia: quente e insuportável. A mãe aparecera duas vezes pedindo para o menino entrar porque a qualquer hora ia desmaiar de tão suado. Ninguém fica duas horas sob o sol dançando dessa maneira, dizia ela, ainda mais aqui, tão perto do céu. O filho dela ficava. Na pequena arquibancada de cimento, um grupo animado de adolescentes aplaudia, dava gritinhos e pedia mais. Com incentivo assim, ficava difícil obedecer à mãe e mais complicado ainda estudar em vez de dançar. Dona Lu balançava a cabeça de um lado para o outro e dizia baixinho "tem jeito não", numa tentativa de se consolar enquanto procurava ao redor alguém que concordasse com ela.

Na pista de dança improvisada diante do gol, a dupla de garotos se contorcia, deitava no chão e levantava em perfeita sincronia. Pareciam corpo e alma, daí o apelido artístico que alguém sugeriu e eles aceitaram sem pestanejar: Body & Soul, corpo e alma em inglês, a dupla de passinho mais aplaudida na comunidade. Qualquer hora esses aí vão parar na televisão, diziam. O que ninguém imaginava ainda é que, devido ao rumo que a vida de um dos meninos ia tomar em breve, o apelido não teria vida longa. Por ora, Body, o mais talentoso dos garotos, se divertia com a exibição, arrancando suspiros das meninas. Uma delas, de longe, mandou um beijinho com a mão estendida para ser repreendida pela amiga sentada ao lado.

"Ele tem namorada!"

"E daí?"

Estavam ali para a prévia do concurso marcado para o fim de semana. A dupla Body & Soul era a favorita e realizava ensaios abertos para estimular os fãs a comparecerem ao evento.

Sábado de noite, Body chegou com sua melhor roupa: camiseta branca cavada, calça comprida preta dois números acima do seu manequim e tênis. Tinha treze anos, pose de muito mais e ambição desmedida. O corpo magro trabalhado na dança mostrava músculos incipientes e levemente torneados. Com a cabeça raspada nas laterais, fez com a gilete um naco na sobrancelha simulando uma cicatriz. Em pouco tempo, seu corpo ganharia outras de verdade.

O galpão estava lotado de jovens balançando ao som ensurdecedor. O baile fervilhava com meninas em shorts curtos num trem humano movido por coreografias sensuais. Impossível ouvir o que alguém dizia a poucos centímetros de distância. Havia cheiro de maconha e cerveja no ar. O calor atingira o nível de lascar. No palco, um DJ comandava a festa que seguia no ritmo da batida marcada e repetitiva do funk.

A batalha do passinho começaria à meia-noite com cinco duplas inscritas e valia prêmio em dinheiro para os vencedores, mais do que dona Lu ganhava em dois meses de trabalho, e seu menino sabia disso.

Body e Soul ficaram juntos num camarim improvisado do lado de fora, com uma mesa de ferro e duas cadeiras de plástico. Cada um segurava uma garrafa de água mineral gelada e mantinha uma toalha branca jogada sobre os ombros – presente de dona Lu para dar sorte. Os concorrentes se arrumaram em outro canto. Era praxe manter a rivalidade artística para animar as torcidas e incentivar as paixões.

Na praça em frente, um pula-pula garantia a presença de crianças e famílias até tarde da noite, com barraquinhas de cachorro-quente e trailers numa festa a céu aberto. Às vezes, um menino fugia para chegar perto dos ídolos. Os dois estavam bem próximos dos seguranças na entrada, três homens fortes quase gordos armados de fuzis. Músculos e gordura formavam uma barreira humana intimidadora para evitar brigas, a única ilegalidade proibida na noite. Tinham sido contratados por Mestre, dono do morro e da boca mais antiga e tradicional da favela. Condenado a alguns anos de detenção, Mestre conhecia os meios e os homens certos a fim de manter a polícia longe de seus negócios.

Para afastar o risco de ser capturado pelos policiais que não se vendiam, adotara o estilo dos traficantes de antigamente: proibia seus soldados de usarem drogas e de exibirem armas nas ruas. Fizera um acordo de paz com Neco, traficante rival dono de outra boca de fumo na comunidade, mas, sempre que possível, aliciava soldados, que deveriam fazer rondas "à paisana", e informantes, que também serviam para vigiar Neco, "porque todos temos momentos de fraqueza diante do vil metal", dizia Mestre, com deboche.

Andava mancando por jamais ter se recuperado de um tombo de motocicleta que rendeu pinos no fêmur e um joelho espatifado. Suas cartas na manga para autopreservação consistiam em promover diversão e eventos culturais, no intuito de conquistar a simpatia da ala conservadora da comunidade, que despendia esforços inúteis para separar as manifestações artísticas locais do tráfico. O concurso de batalha do passinho tinha sido ideia dele, assim como o pula-pula, tática conhecida e eficaz para desencorajar patrulhas inesperadas num ambiente repleto de inocentes.

"Deixa a meninada pulando na porta que não vai ter confusão", afirmava Mestre para seus soldados.

Não paravam de chegar convidados em ônibus vindos de outras comunidades e também pagantes "especiais", filhinhos de papai que subiam o morro para dançar e comprar drogas na favela mais tranquila da região. Mestre chegou ao baile seguido por duas jovens fortemente maquiadas e pelo estranho silêncio que sua presença provocava. Parou diante da dupla favorita e, com aquela pose de quem concede atenção como um prêmio irrecusável, apontou o dedo na direção dos dois.

"Apostei em vocês!"

Soltou a frase como se fosse um slogan, piscou e saiu puxando cada uma das moças pelo bolso de trás da calça jeans. Trazia uma pistola enfiada na bermuda. Mestre tinha fama de inclemente, mas sua arma mais perigosa era a simpatia. Quem o conhecia gostava dele. Os meninos arregalaram os olhos e começaram a rir, entre nervosos e aliviados.

"Deixa dona Lu saber disso…", falou Body, debochado, repetindo a frase que mais ouvia na vizinhança toda vez que fazia coisa errada. "A mãe gosta dessa turma não, diz para eu ficar longe…"

"Irmão, relaxa, a noite é nossa", disse Soul, um jovem mulato de catorze anos com tranças presas num rabo de cavalo, que sonhava com o estrelato na favela e fora de lá também. Perdia no quesito charme para Body, que sorria seu sorriso de dentes alinhados sem nunca ter usado aparelho, uma sorte para a família sem recursos.

Body só encerrou o sorriso subitamente quando viu Soraia, uma jovem voluptuosa, espremida numa bermuda de lycra e top branco, aproximar-se mascando chiclete e anunciar enigmática com olhos carregados de rímel: "Precisamos falar." A encarnação foi geral. Quem ouviu soltou um discreto murmúrio e deu as costas para a cena. A fama de Soraia não era das melhores. Namorara os caras mais problemáticos da área, liderava uma trupe de meninas complicadas e seduzia incautos pelo prazer de colecionar admiradores. Um perigo, a tal da moça. Diz a lenda da favela que um ex-namorado abandonado se suicidou por causa dela.

"Deixa dona Lu saber disso…", cantarolou Soul, zoando com o irmão de passinho.

"Tranquilo…", respondeu Body, levantando-se com a pose de homem que pretendia ser um dia. Segurou a jovem pelo cotovelo e cochichou em seu ouvido:

"Tu num sabe que tô namorando? A titular vai chegar, porra, quer causar? Que que eu te fiz?", disse ele, que parecia forçar o tom de chateação, como se, no fundo, estivesse se divertindo com a cena.

"Tu me fez um filho, moleque."

O moleque empalideceu e pareceu ainda mais menino. Olhou em volta buscando socorro, solidariedade, alguma manifestação de consolo, mas só existia Soraia no seu campo de visão. Naquele momento Soraia perdera os atrativos, os seios, o olhar fatal, tudo. Mal se recordava do que acontecera entre eles num baile funk. Nem sabe se algo chegou a se consumar. A mente ficou nublada. Quando voltou a si, na falta de ideia melhor, perguntou o que não deveria.

"E se não for meu!?"

Saiu dali abalroado pela mão pesada de Soraia e pela primeira das muitas notícias que mudariam o curso de sua vida antes de se tornar o homem que pretendia ser. Naquela noite, seu desempenho no palco ficou muito aquém do esperado, coisa que ninguém entendeu, nem o Mestre. Vaiado pela audiência que tanto o incentivara, perdeu o rumo e um pouco do status em construção.

Desde pequeno, gostava de música, costuma contar dona Lu, toda vez que fala do filho caçula. O mais velho é estudioso, quer ser cientista, motivo de um orgulho só. À medida que foi nascendo mais menino, ficou complicado para ela manter o nível de cobrança. A gente vai cansando de repetir as mesmas coisas, diz, quando desabafa com as amigas. Afrouxou as rédeas um pouco e deu no que deu. "O caçula tem bom coração, me ajuda com as crianças, só que não quer nada com os estudos, um caso perdido. Só presta mesmo para dançar, desde pequenininho é assim. Se ele não passar necessidade, eu já fico feliz, mas o menino sonha ser famoso, aparecer na TV", diz dona Lu, que de tão exausta não sabia o que fazer para botar o filho nos eixos. Ela cumpria a parte dela, trabalhando de segunda a sábado de faxineira e cozinheira na casa de gente bacana. Não tinha carteira assinada e nenhum direito assegurado porque nem todo mundo é tão bacana assim. Não podia adoecer, não. Na falta de remédio, ela tomava doses cada vez maiores de fé.

Domingo, dia de ir à igreja, também ficava reservado para dona Lu devolver as graças recebidas em dízimos que nunca atrasava. Durante a semana, cabia ao primogênito segurar os irmãos em casa até ela chegar, e ele exercia seu papel com relativo fracasso. O caçula fugia para dançar e o do meio tornara-se um aficcionado por videogame. O mais ajuizado dos três irmãos trazia os dois menores pelas orelhas mas tinha hora que até ele se sentia cansado dessa história de bancar o pai dos pirralhos. O que ele tinha a ver com isso aos dezesseis anos de idade?

Quando estava em casa, dona Lu oscilava entre brava e carinhosa. Batia nos meninos quase todo dia. E no mais velho também, para ser justa mesmo lhe faltando motivo, porque castigo físico abreviava as conversas e ela não tinha muito tempo para falar. Depois passava a mão na cabeça de cada um antes de dormir, enchia de beijos e cheiros. Dizia que eles eram as coisas mais importantes da vida dela porque eram mesmo, tanto que preparava, todo domingo, o bolo preferido de cada um. Eram três receitas diferentes: de cenoura, de chocolate e pão de ló. Só dona Lu fazia isso em toda a comunidade. Onde já se viu um bolo para cada filho? Que desperdício, comentavam.

Filhos são bênçãos, repetia dona Lu, chamada de dona desde os trinta e poucos anos, embora não tivesse chegado aos cinquenta, e parecesse muito mais. Mãe solteira, nunca contou com ajuda de pai nenhum, apenas de vizinhos solidários. Não sabia escolher homem nem evitar filho. Perdeu outros dois na barriga e como sofreu.

Mesmo assim dona Lu tinha sorte, os filhos é que não enxergavam isso. Ela contava com uma rede de proteção que nunca lhe faltou: cuidou dos bebês em berço e cercadinho, deu de comer e de beber às crianças enquanto cumpria os afazeres de mãe sozinha. O bom de ter os meninos crescidos é poder retribuir um pouco. Por isso, em alguns domingos, volta e meia encarava um cercadinho em casa com o filho de alguém. E o caçula, surpreendentemente, ajudava, botando música e fazendo coreografias para os bebês ficarem se sacudindo dentro do cercado.

"Abaixa um pouco essa música, menino!", dona Lu gritava.

"Eles estão gostando, olha só!", dizia feliz, apontando para as miniaturas de gente. E quando dona Lu parava para ver, havia dois bebês de pé com pernas grossas e bumbum inchado por fraldas, subindo e baixando, subindo e baixando, com a chupeta na boca, querendo seguir o ritmo da música. Acabavam todos em gargalhadas. "Depois eu vou ensinar umas manobras", dizia animado para seu público infantil, dando uma palhinha do que ia fazer e se jogando no chão.

Feliz, dona Lu pensava "nessa casa não falta nada", tem alegria, comida, cama e uniforme, mas Body queria tênis novo para dançar, calça de marca, celular, desejos que até o mais velho cultivava sem admitir porque não tinha coragem de pressionar mais a mãe. Faltavam também a figura paterna e um adulto mais presente no comando do lar, coisa que ninguém reparou. Estavam muito ocupados buscando meios de sobreviver. Quatro anos depois da fatídica batalha do passinho perdida e da suposta gravidez de Soraia, o caçula de dona Lu não lembrava mais o vaidoso bailarino. Nem era mais Body. Quem estava em cena era Mete-Bala, apelido forjado pelos acontecimentos que marcariam a vida do garoto indomável e sedutor que, por azar do destino, nunca bateu em nenhum obstáculo nem encontrou nenhum mentor capaz de deter sua trajetória fora da lei. Começou cedo a pagar por seus exageros comprando fraldas, leite e roupas para criança. A busca pela fama e o assédio de mulheres mexeram com os brios do menino encantador. De repente, ele almejava apenas poder, mesmo que de mentira. Quando teve a ideia de botar uma peruca afro para descer o morro com papelotes de cocaína e ver se faturava na porta da escola, deu o maior azar. Cruzou com um camburão e o policial o reconheceu.

"Penteado novo, moleque?", perguntou o tenente, que aproveitou o cumprimento para levantar a cabeleira e deixar cair as drogas no chão.

Apreendido por tráfico, cumpriu medida socioeducativa num estabelecimento bem longe de casa e, a partir de lá, fez escola no crime. O que estava entortando foi completamente distorcido, e todos os bons princípios que dona Lu insistia em passar para os filhos, com Mete-Bala perderam seu lugar.

Pai de cinco aos dezessete anos, Mete-Bala tornou-se uma liderança ativa e negativa na favela, antes mesmo de atingir a maioridade. Ficou conhecido e temido por traficar drogas e atirar contra seus inimigos – polícia e traficantes de facções rivais. E tudo aconteceu mais ou menos assim:

Quando acordou no dia seguinte à festa no galpão, ainda sentindo a palma da mão de Soraia na cara, teve a sensação de que o destino lhe dera uma grande rasteira. Novo demais, não pretendia ser pai. Chegou a acreditar por alguns instantes ter sido vítima de um engano. Olhou-se no espelho e estufou o peito disposto a resolver tudo. Só que dona Lu escancarou a porta do quarto com um sorriso no rosto perguntando se a toalha branca dera sorte no torneio, e ele murchou ao lembrar-se de onde estava.

"Pô, dona Lu...", disse, desanimado. "A gente perdeu..."

Ela não levou o assunto adiante.

"O próximo você ganha. Trouxe a toalha de volta?", perguntou sem ouvir a resposta e sem notar que seu menino tinha dois problemas graves para resolver. O primeiro era um possível filho a caminho, e o segundo, com o qual ela não podia nem sonhar, tinha a ver com um certo traficante irritado com "viadagem de pirralho". O recado chegara logo depois da apresentação: Mestre quer te ver lá no QG amanhã.

Tomou correndo um café com leite e saiu de casa como quem foge de alguém. Vestiu o uniforme para não levantar suspeitas e foi ziguezagueando pelas ruelas sem calçamento, pelos quarteirões mal recortados da comunidade. Cumprimentou um ou outro que passava e parou, hesitante, ao pé da escadaria. Precisava subir sem ser notado. Saber o que Mestre queria. Acenou para a vizinha fofoqueira para ela acreditar na intenção de não faltar ao colégio e começou a descer os degraus vagarosamente. Tinha que se apresentar no quartel-general do Mestre, um casebre de tijolos aparentes mal-ajambrado sob uma mangueira frondosa num ponto de difícil acesso. Percebeu que estava sendo seguido. Por Soraia.

"Porra, vai ficar no meu pé agora?"

"Tu é muito assustado, moleque. Já tem a grana?"

"Que grana?"

Soraia revirou os olhos impaciente.

"Cê acha que te contei que estou grávida para quê? Tenho que tirar ou tu achou que era um pedido de casamento?", disse isso caindo na gargalhada e quase cuspindo o chiclete que mascava. Soraia, puro deboche. O menino encostou num muro pichado com marcas de tiro logo acima de sua cabeça.

"Que foi, moleque? Tá decepcionado? Só faltava essa… E fica aí não que dá azar…"

Ele olhou para trás e viu as perfurações, marcas ainda raras naquela comunidade. Desencostou-se instintivamente.

"Não, é que… eu não… tinha tido essa ideia."

"Aí, quem tem as ideias aqui sou eu. Pois fique sabendo que aquele dia foi zoação. Eu precisava arrumar um garoto para vencer uma aposta e foi tu. Agora deu ruim engravidar alguém na primeira trepada, pirralho desse jeito…"

O comentário trazia um elogio embutido e fez com que ele se empertigasse, ganhara importância apesar do pirralho reverberando nos tímpanos.

"Quem disse que foi minha primeira vez?"

Soraia fez cara de impaciente de novo e bufou, enchendo de ar as bochechas numa postura quase infantil, em contraste com o decote provocante, com metade dos seios de fora, e os lábios pintados de vermelho àquela hora da manhã. Tinha dezessete anos. Parecia muito mais.

"Agora é o seguinte: custa caro, entendeu, morto de fome? Tu tem uma semana para me arranjar cinco mil. Fui!", disse isso e saiu, jogando o chiclete sem cor aos pés dele.

Morto de fome não teve graça. A ofensa entrou pelo ouvido e parou no fígado. Garota abusada. Tinha outras a fim dele. Não queria ser tratado assim, não… O caçula de dona Lu mudou a rota e passou a subir a escadaria em desatino, com a alma borrada de medo e de raiva. Por um instante que não durou quase nada, sentiu-se também arrependido, só não sabia exatamente de quê. Cinco mil era dinheiro demais. Um dia haveria de não ser. Passou por um rapazote que ligou o rádio adiantando a presença do "bailarino" rumo ao QG do tráfico.

"Dançarino, pô, dançarino!", pensou, irritado.

Chegou constrangido e suado ao casebre onde dois jovens, um com a camisa do Flamengo e outro de touca preta de lã, faziam as vezes de seguranças na entrada. Carregavam rádios e fuzis. Um deles gritou para dentro, "o bailarino chegou!".

Em torno de uma mesa de madeira com copos de cerveja sujos e vazios, estavam sentados Mestre e três soldados, observadores silenciosos e armados da cena. O chefe, com uma pistola automática na bermuda, abriu os trabalhos e com a cara séria disse de primeira:

"Eu ainda não acredito que tu mandou mal!"

O garoto abriu a boca mas não saiu som. A irritação dera lugar ao medo. O traficante o espiava com um certo ar de compaixão.

"Caiu no canto da Soraia, não foi?"

A claque despencou a rir e só parou quando Mestre levantou a mão.

"Tu não foi o primeiro, fica assim não. A garota é um perigo. Agora ela tá te pedindo grana, num tá?"

Ele balançou a cabeça positivamente e se sentiu algo compreendido. Afinal, Mestre não parecia irritado coisa alguma. Nascia dentro dele uma nova emoção: gratidão.

"Traz uma coca gelada aqui pro nosso irmão!", gritou Mestre. "A vadia usa o mesmo golpe com todos. Eu tenho um convite pra te fazer e não aceito não como resposta. Todo mundo gosta de tu aqui na comunidade e o movimento tá precisando de reforço."

A temperatura da casa subiu e o calor atiçou o coração do caçula da dona Lu, cujo pensamento despencou morro abaixo tentando imaginar se a mãe sabia de alguma forma onde ele estava. Engoliu de uma só vez o refrigerante.

"É coisa simples, tu pode entrar de informante. Garante um ganho. Eu não quero que Neco fique se achando. É bom ele saber que temos muitos amigos, me entende? Para não me causar problema na paz..."

O caçula de dona Lu se esticou pela segunda vez no mesmo dia. Sentiu que os soldados do tráfico diminuíram de tamanho. Sim, ele era importante.

"Neco andou roubando freguesia no nosso quintal, e eu não gostei. Como você transita bem por toda a comunidade, podia me trazer umas informações, saber se ele está armando contra mim. O ganho é bom..."

Como quem se sente acima das próprias possibilidades, ele se encheu de coragem para negociar e perguntou:

"Eu ganho quanto?"

"Muito dinheiro, porra! Toda semana. Num sabe o que é isso não?"

E todos riram, inclusive o filho mais novo da dona Lu. O encontro foi breve e terminou com um cumprimento coreografado de mãos e tapas.

"Na dúvida, dá esse cala-boca aqui para a Soraia. Vai que ela agora tá falando a verdade. Se bem que aquela lá é capaz de comprar xixi de grávida para fazer teste positivo", disse Mestre, entregando um maço de notas que ele não conferiu. "E vê se mete bronca na próxima batalha, seu viadinho. Tu agora é da família", disse Mestre, selando desta forma o início do destino que transformaria o caçula da dona Lu em Mete-Bala.

Dona Lu tinha sido alertada, ouvira comentários, e cismou que as pessoas estavam dedicando muita energia para piorar a fama de seu filho mais novo. O menino não gostava de estudar, não era novidade para ninguém, mas tinha bom coração e jeito para a dança. Seu maior pecado era namorar demais, motivo de preocupação, ela sabia, e combustível para inveja. A história de Soraia se espalhou como vento e a titular daquele tempo, uma menina tão bacana, caiu fora.

De uns tempos para cá, o caçula andava até mais caseiro. Fizera quinze anos e repetia o sexto ano pela terceira vez no turno da noite porque durante o dia fazia entregas de supermercado, ele explicou, e ela acreditou.

Deu um aparelho de celular novo para a mãe e um para o irmão mais velho graças às vendas de Natal e às gorjetas, dizia a história que dona Lu propagava sem questionar. Para o do meio, trouxe um videogame tão moderno quanto novo. Generoso, ele. Andava arrumadinho, procurava pechinchas em feiras e lojas do asfalto porque é vaidoso, e vaidade se não é demais não é pecado, o pastor explicara, repetia dona Lu para quem quisesse ouvir, ainda que a pessoa fizesse aquela cara de "sei... sei...".

Até que um dia alguém bateu na porta com tanta força que dona Lu levou um susto. Era Priscila, filha de dona Rosa, que morava na outra descida, perto da vala e longe da escadaria, um lugar não muito bom na comunidade. Queria falar com o caçula, um recado urgente, e dona Lu não gostou do que viu: uma barriga saltando pela blusa aberta. Meses depois a barriga entregaria seu primeiro neto. Naquele dia, Priscila carregava também uma ameaça: o namorado estava jurado de morte pela turma do Mestre.

Para proteger a família, Mete-Bala saiu de casa e foi morar com Priscila e a família dela num barraco de dois quartos na área dominada por Neco, seu novo chefe, traição que explicava a ira de Mestre contra o ex-dançarino de passinho. Dona Lu chorou mas ninguém viu quando nem onde. Pouco tempo depois é que Mete-Bala foi apreendido com uma grande quantidade de papelotes de cocaína e levado para a delegacia portando a roupa do corpo e um canivete devidamente confiscado.

Aos quinze anos, cumpriu seis meses num estabelecimento socioeducativo para menores de idade, não muito melhor do que um malcuidado presídio para adultos. Lá, foi obrigado a escolher a ala da facção que o acolheria. Presenciou e cometeu atrocidades. Sofreu abusos. Pouco tempo depois de dar entrevista para uma cineasta e espalhar que ficaria famoso na TV, fugiu. De volta à favela e aos braços de Priscila, teria com ela mais dois bebês, gêmeos, um deles com paralisia cerebral devido a problemas no parto. O quarto e o quinto filho apareceram crescidinhos, frutos das frequentes escapadas.

Aos dezessete anos, o pirralho de dona Lu não era mais dançarino nem estudante bissexto, mas um jovem que tinha levado sua ambição longe demais ao reacender a guerra entre Mestre e Neco por um punhado a mais de dinheiro. Fizera carreira no movimento. Foi de informante a gerente num piscar de olhos e, depois de se bandear para a facção rival, deflagrou os tiroteios que tanto assustavam os moradores. Num lance mal explicado até hoje, Neco fora preso por uma denúncia anônima e Mete-Bala assumiu a boca.

A casa de dona Lu ganhou dois tiros na parede externa lateral. Ela não se conformava. Ia à igreja três vezes por semana, aumentou a faxina e o dízimo. Nada adiantava. Queria seu menino de volta. Só tinha notícias de Mete-Bala, o indomável ex-informante de Mestre.

O caçula não aparecia mais em casa, nem para pedir a bênção, e dona Lu andava arrasada demais se perguntando onde foi que ela errou para ter filho bandido. Pior eram as vizinhas com cara de "eu te disse". E a vergonha? Como se livraria dela?

A comunidade que antes vivia em paz estava muito modificada. A violência explodira pelas mãos da nova geração radical de traficantes liderada por Mete-Bala, inflado pela prisão de Neco. Sedutor, Mete-Bala tentou herdar não apenas a boca de fumo de Neco, mas também Irina, a loura com jeito de patricinha que Neco escolhera para casar. Fracassou nas tentativas de seduzi-la e ainda foi obrigado a incluir a moça numa operação audaciosa para trazer cocaína da Colômbia.

Neco continuava dando ordens da prisão e Mete-Bala tinha problemas demais com a turma fiel a Mestre, que não lhe facilitava a vida. Certa vez, fora esfaqueado numa briga. Levara quinze pontos na barriga. Nem depois do susto ele desistiu de expandir a venda de cocaína. Queria para si a boca de fumo gerenciada pelo rival para ser absoluto no tráfico local, mesmo que nunca mais pudesse descer o morro nem tivesse onde gastar tanto dinheiro para além de churrascos, festas e fraldas para os cinco filhos. Um reinado inútil, aquele.

Naquela sexta-feira à noite, o morro estava calmo. A lua cheia no céu iluminava uma pequena festa junina no quintal de alguém, de onde ecoava o som da quadrilha. Um grupo de garotos soltara um balão cheio de lanternas e fogos. Perto do botequim vermelho, onde funcionava a boca mais movimentada da comunidade, sob o domínio precoce de Mete-Bala, jovens de classe média, inclusive turistas estrangeiros de passagem pela cidade, iam buscar diversão. Estacionavam seus carros na base do morro e subiam fingindo estar à vontade. Há muito a favela não estava mais tranquila. Mete-Bala achava aquilo engraçado. Ficava de longe desfrutando desse gosto amargo e viciante que o poder oferece aos que tudo ou quase nada têm. A polícia andava no seu encalço, especialmente depois do surto de violência.

Com um fuzil pendurado no ombro, Mete-Bala jogava conversa fora com uma garota, cochichando em seu ouvido. Pelo canto do olho, percebeu o sujeito com roupa social amarrotada e suja. "Se veio direto do trabalho, não aparece lá há algum tempo", disse Mete-Bala, fazendo graça para a menina. "E tá largado aí faz uns três dias, chegou doidão entregando o carro e dizendo que a polícia tava atrás dele. Tava nada. O cara tá na maior noia. Pegou uma onda errada. Esse pó, tem que saber cheirar!", disse, pegando no bolso um punhado de cocaína de um pacotinho fechado e praticamente enfiando no nariz da moça com o polegar. O excesso caiu no chão, e ele, na gargalhada.

Dona Lu alimentava saudades de um tempo em que havia mais respeito pelos moradores.

"Ninguém cheirava na rua nem andava exibindo armas", ela se queixava, fingindo esquecer que um de seus filhos adotara a violência e a ostentação como meios de vida. Para não dizer que desistira, ela chegou a pedir a um dos patrões que desse uma chance para seu menino no programa de televisão, aquele que mostra novos talentos, porque ele dança que é uma beleza, "seu Ricardo". Mas isso foi há muito tempo e seu Ricardo desculpou-se por não poder ajudar.

Hoje, dona Lu seria incapaz de pedir a alguém para interceder pelo filho porque podia dar problema e esse vexame seria demais para ela carregar. Precisava convencê-lo primeiro a abandonar o crime, esse negócio de droga que só dá futuro na cadeia ou no cemitério. Chegou a pensar que se o filho tomasse um susto, preso, melhorava. "Num diga besteira, dona Lu, que prisão não recupera ninguém, só piora", avisou uma amiga mais experimentada com as notícias. "Quem vai ajudar então o meu menino?", perguntava dona Lu para as paredes da casa.

Depois dos festejos juninos, os fogos de artifício continuavam explodindo no céu da comunidade, em avisos cada vez mais frequentes da chegada da polícia – incursões que terminavam em confrontos e troca de tiros. Foi numa dessas entradas na comunidade que a vida da capitã da Polícia Militar Jaqueline cruzaria com a de Mete-Bala em mais uma batalha suicida para a qual nenhum dos lados parecia inteiramente preparado. Nesse enfrentamento anunciado, promessas são descumpridas, objetivos não são alcançados e muitas pessoas acabam feridas, outras, mortas. A operação policial para busca e apreensão de armas e drogas começara cedo, no lusco-fusco que separa a noite da manhã, antes de as crianças irem para a escola e de a maior parte dos trabalhadores descer para o asfalto. O objetivo da polícia era flagrar traficantes dormindo e inocentes protegidos em casa. Não foi bem assim. O sujeito de roupa social sob efeito da cocaína, por exemplo, ainda estava abraçado a um morador de rua, num quadro lamentável de abandono e sujeira.

Quando os carros da Polícia Militar chegaram e a tropa desembarcou paramentada com coletes e armas, movimentando-se como peões de um xadrez sem regras pelo tabuleiro acidentado da favela, havia soldados do tráfico alertas.

Mete-Bala tomava café na padaria depois de uma madrugada agitada quando foi avisado da presença da polícia. Espalhou ordens para seus homens estarem a postos nas contenções e despejar munição nos "vermes". Mais barricadas foram erguidas no caminho para a boca.

Com colete à prova de balas e boné, a capitã Jaqueline sabia que estava ali para mais uma operação enxuga-gelo, como ela se referia à repressão generalizada. Só que ordens são ordens. E a orientação superior para aquela incursão na favela era prender Mete-Bala, marginal que impôs novamente o terror naquela que tinha sido a comunidade mais calma do bairro. A intenção não declarada, e com a qual Jaqueline nem sonhava, visava tirar Mete-Bala do tráfico para restaurar a ordem, deixando apenas Mestre com sua política corrupta de boa vizinhança.

Jaqueline seguia rapidamente morro acima revistando as esquinas do caminho, de beco em beco espiando portas e janelas. Por ela, passaram dois policiais correndo. O mais afobado deixou cair o carregador da arma, que ela pegou como quem cata brinquedos do filho pelo chão. Menos onze tiros disparados? Talvez faça falta, ela se perguntava num momento inoportuno de reflexão quando ouviu um disparo, e outro, antes de se jogar no chão. Estava sob fogo cruzado e procurou se abrigar. Uma rajada abriu um rombo no muro próximo.

"Estamos encurralados!", gritou um tenente a alguns metros dela.

Jaqueline olhou para cima, mirou e atirou contra uma laje antes de correr novamente, o coração disparado. Pensou em Breno, seu filho, então com quatro anos.

Começava mais um episódio sangrento da guerra às drogas. O tiroteio acordou e amedrontou quem ainda dormia. Mete-Bala fazia jus à fama.

"Tem vagabundo se entocando agora!", um soldado gritou. Jaqueline fez sinal para ele não gritar e, com o braço, ordenou que uma equipe cuidasse disso enquanto ela e dois tenentes seguiriam até a boca atrás da casa de endolação, onde a cocaína é preparada para a venda no varejo, misturada a outras substâncias e dividida em papelotes.

Segundo informações do setor de inteligência da polícia, um novo carregamento de drogas desembarcara no morro naquela madrugada, justificando a operação. Jaqueline queria levar a mercadoria, dar prejuízo ao tráfico e ir embora.

Um curto cessar-fogo permitiu que a polícia continuasse entrando na comunidade enquanto os bandidos fugiam diante de um efetivo inesperadamente grande. Ao passar pela boca, ela viu de relance o sujeito de camisa branca deitado no chão e parou. Foi se aproximando devagar para checar se o homem era quem ela pensava ser. Ao vê-lo prostrado, Jaqueline foi invadida por um sentimento de pena como nunca havia sentido por ninguém e, com os olhos marejados, quase em câmera lenta, pegou em seu pulso para verificar os batimentos cardíacos. Não sentiu nada porque, ao se abaixar, ouviu apenas os estampidos da troca de tiros muito próxima entre um tenente da tropa e Mete-Bala. Do alto de uma laje, o traficante mirava na capitã, mas não a atingiu porque foi derrubado antes. Jaqueline escapara da morte no instante em que encontrara a vida do irmão por um fio, num beco respingado de sangue.

JAQUELINE

"Você não vai conseguir..."

Jaqueline ouviu esse comentário de um oficial minutos antes da prova de salto em altura, na fase eliminatória para ingressar na academia de Polícia Militar. Ela não soube o que responder porque se sentia despreparada. O oficial que a espiava com desdém explicitou o temor que ela não ousava expressar.

Aprovada quase sem querer no exame escrito, a filha mais velha de seu Antonio e dona Florinda tinha sido pega de surpresa pelo resultado um mês antes. Não frequentara cursinho preparatório. Chegou na prova com a cara e a coragem. "Como assim aprovada?", perguntou, incrédula, para si mesma ao constatar o resultado no jornal. Inscrevera-se no concurso por influência de uma amiga que acabou não sendo classificada. Estavam as duas atrás de um emprego com estabilidade.

Aos 25 anos, Jaqueline era uma jovem sedentária. Trabalhava sentada dez horas por dia como atendente de telemarketing e passava outras quatro no transporte público entre casa e trabalho. Correr 1.200 metros, saltar em distância e em altura? Impossível, temia. Usou toda a sua força de vontade para treinar aos sábados e domingos num ginásio particular aberto a um projeto social com uma molecada muito melhor do que ela em qualquer coisa. Faltavam-lhe atributos físicos valorizados numa carreira militar, o que ficou óbvio para o oficial, sincero demais diante da moça desajeitada queimando o salto em distância do treino. Ele não enxergou nela, no entanto, qualidades menos evidentes e essenciais para uma trajetória de sucesso: capacidade de ouvir ofensas sem se abater e teimosia de sobra. Nisso, o telemarketing ajudou bastante.

Jaqueline vinha de uma família humilde. Quando lhe perguntaram o que esperava da polícia, pensou em confessar: estabilidade. Esperta, elaborou respostas melhores para a entrevista. Seu objetivo jamais declarado: livrar-se da queda de braço contra a insegurança, sua principal parceira de vida. E não é contra a insegurança pública que a polícia trabalha? A psicóloga riu e acrescentou pontos à sua sinceridade. Encontrara um objetivo em comum com o posto desejado.

A rotatividade de funcionários na empresa em que trabalhava constituía por si só um quadro aterrador. A cada demissão, reaparecia o medo de ser incluída na próxima leva dos dispensados.

Diante da pista de corrida, Jaqueline rezou baixinho por um milagre. À distância, a barra solitária, delicadamente equilibrada entre as hastes de ferro, parecia inatingível e ela precisava ultrapassá-la. Impulsionar o corpo e elevar o quadril com força suficiente para não resvalar na desgraçada. Respirou fundo, tomou distância e quicou um pouquinho no mesmo lugar antes de disparar, imitando a cena de uma atleta que viu certa vez na televisão. Vai que funciona. Caiu no colchão eufórica depois de constatar que a barra continuava no lugar. Superava ali o primeiro obstáculo visível de sua incipiente carreira e, com os olhos marejados, procurou o oficial que tentara desencorajá-la. Ao cruzar o olhar com o dele, sorriu com os lábios enquanto sua alma gargalhava. "O que ele disse mesmo?"

Jaqueline acabava de dar um passo que os pais, trabalhadores braçais e malremunerados, jamais sonharam para si, mas desejaram para os filhos. Ela e o irmão Carlos Eduardo foram educados segundo o princípio de que notas altas salvam. Nem Jesus tem tanto poder, costumava dizer seu Antonio para se justificar. Por causa de resultados ruins, as crianças ficavam de castigo. Não iam a festas e quermesses na igreja, deixavam de brincar na rua, sobretudo Carlos Eduardo, menino cujo rendimento na escola só piorava com as privações impostas. Como a gente faz com ele?, perguntava dona Florinda. Os irmãos eram obrigados a preencher páginas e páginas de um caderno de caligrafia com frases destinadas a fixar o correto. Tudo a lápis, para apagar e usar depois em outra ocasião. Mentir é errado; não gritar; não bater; fazer a lição e lavar as mãos antes de comer constituíam algumas das sentenças mais repetidas nas punições que Jaqueline aprendeu a cumprir resignada, levada pela vontade de terminar e mostrar que conseguia fazer, ainda por cima com letra bonita, diferentemente do irmão, que caprichava no garrancho para expressar sua revolta.

Depois que ingressou na academia de polícia, Jaqueline se deu conta de que, antes de avançar, seria obrigada a recuar. O soldo pago aos alunos durante os três anos de formação não cobria suas despesas. Foram tempos difíceis. Ela fez dívidas, deixou de contribuir em casa e ainda engravidou no último ano. Puro azar.

Num passado recente, a expulsão costumava ser a medida adotada em situações como essas, mas, aplicada, Jaqueline ganhou a simpatia e a defesa do comandante do corpo de alunos. Ela tinha 28 anos e estava entre os mais velhos e mais bem-avaliados.

Persistiu e formou-se com um barrigão de oito meses e nota rebaixada. A instituição, masculina demais, não a perdoaria pelo deslize final. A barriga tornava "evidentes" sua suposta inadequação na tropa e sua indisciplina, apesar de Jaqueline ter chegado mais do que treinada na arte de executar tarefas árduas.

Quando voltou da licença-maternidade, a aspirante Jaqueline não pôde escolher o batalhão no qual serviria e foi parar numa unidade responsável por favelas complicadas e onde era a única mulher. Improvisaram tudo para recebê-la, inclusive alojamento. Acostumou-se a vestir a farda num quarto úmido e sem janelas junto com as lacraias. Argumentaram que, assim, ninguém ia espiar. Grande vantagem. Logo se acostumaria também aos olhares de oficiais superiores incomodados com sua presença, como se não fosse bem-vinda. Os obstáculos no dia a dia da fem — epíteto usado pelos homens para se referir às policiais femininas de patentes mais baixas — pareciam ainda mais inalcançáveis do que a barra do salto em altura. Como se a vida militar fosse um caderno cujas páginas ela ia preenchendo a lápis e virando pelo prazer de avançar, Jaqueline seguiu na carreira.

O relacionamento amoroso é que não progrediu. Mais novo que Jaqueline e com a cabeça repleta de sonhos, o tenente Marcelo só percebeu que não servia para longos compromissos quando Breno, filho do casal, completou um ano. Jaqueline contava com a ajuda de dona Florinda para criar Breno. Marcelo, encantador durante os anos de academia militar, rendeu um tipo de pai que a deixaria bastante na mão e um policial que acreditava ter o poder de livrar a cidade dos maus cidadãos, grupo que, para ele, incluía bandidos, traficantes, maconheiros, cracudos e demais usuários de drogas. Para Marcelo, todos eram culpados. Apesar de ambos serem policiais, um desavisado que ouvisse o ex-casal negociando responsabilidades com o menino poderia acreditar que Marcelo tinha uma rotina muito mais complicada. Isso cansava Jaqueline, tanto quanto subir morro.

"Vou tirar serviço este fim de semana, Marcelo, e minha mãe está cansada. Você pode ficar com Breno?"

"Jaque, eu vou sair do meu serviço na sexta cansadão. Vou passar o dia igual cabrito no morro. O comandante avisou que vai pegar. A gente tem uma operação conjunta com outros batalhões, ando estressado demais. Melhor não contar comigo", dizia, carregando ao máximo nas tintas de tudo o que o esperava. Jaqueline respirava fundo. De alguma forma, a incapacidade do ex-namorado de enxergar a vida além da polícia contribuía para deflagrar nela uma postura crítica diante de um trabalho que consumia todas as certezas que ela ainda trazia do início desse caminho.

"Ok, Marcelo, depois falamos. E, por favor, não morra. Pelo menino."

Esse conselho ele seguia à risca, contando também com a sorte. Seis anos depois de formada, a capitã Jaqueline também havia ficado viva para o menino. Sobrevivera não só ao tiroteio que encerrou a vida de Mete-Bala mas a outros confrontos dos quais escapou com mais medo de morrer. A violência explodia nas comunidades onde ela fazia rondas e patrulhas. Como policial militar, sabia que nunca poderia acabar com o tráfico, embora fosse esse o objetivo declarado do seu dia a dia. Tudo lhe parecia fora de ordem.

A policial assistia ao apogeu e à queda de traficantes, cada vez mais jovens e incapazes de fazer escolhas acertadas e de escapar do descarte fatal da profissão. Perdeu também colegas de trabalho nessa guerra suja. A mãe Jaqueline recebia com tristeza o olhar desconfiado e muitas vezes agressivo das crianças das áreas que patrulhava. A mulher Jaqueline continuava enfrentando, na trajetória profissional, homens que só faltavam dizer "você não vai conseguir", mas ela ia lá e saltava o obstáculo. Nada parecia detê-la, fora a sensação de estar perdendo a batalha pela qual era obrigada a lutar como policial. Corria muito perigo para não ver nada melhorar. Se morresse, tudo continuaria na mesma.

No que dependia dela, evitava apreender adolescentes carregando pequenas quantidades de drogas pela inutilidade da medida. Ela sabia que eles voltavam das penas muito piores. Dava broncas, gritava e ia falar com a família. Certa vez, devolveu um pela orelha. Livrou alguns de enrascadas, mas sabia que perdia a maioria dos embates. Sua postura alimentava críticas e embasava ainda mais o preconceito contra a fem, afinal, fem não prende ninguém, cantavam provocadores os times rivais nos jogos internos e nos treinamentos da PM.

Jaqueline contabilizava suas conquistas práticas para não desistir. Incluída na classe média carioca pela profissão e pelo salário de oficial da PM, oferecia ao filho algum conforto e pequenos mimos com os quais jamais sonhara. Comprara um apartamento financiado e, com a ajuda de Marcelo, pagava uma boa escola para o menino. O inventário das perdas, no entanto, seria significativo ao longo dos anos. O enredo da vida de Jaqueline foi sendo modificado pelo ambiente externo, pelos medos que cresciam sorrateiros dentro dela, por um drama familiar não resolvido e pelas convicções radicais de Marcelo.

Jaqueline viu com tristeza o bairro simples onde nasceu e cresceu converter-se numa área perigosa dominada pelo tráfico. Foi obrigada a reduzir as visitas aos pais porque todos sabiam que seu Antonio e dona Florinda tinham uma filha polícia. Aparecia sempre de dia, à paisana e armada. Não ia dar mole de ser surpreendida por algum marginal. Afastou-se sem querer justo quando o irmão caçula mais precisava.

Para o casal de idosos, estava tudo bem. Moravam na mesma casa humilde de sempre, usufruindo de facilidades que os filhos fizeram questão de comprar: máquina de lavar, TV de plasma na sala e até ar-condicionado no quarto. Nutriam um orgulho imenso de terem assistido às crianças chegarem mais longe do que eles jamais chegaram: Jaqueline na PM e

Carlos Eduardo num banco. Cadu, aquele que não gostava de estudar, que precisou ser obrigado a quase tudo na infância, conseguira um emprego muito bom. Usava terno e gravata. Para seu Antonio e dona Florinda, a missão estava cumprida. Os dois, contudo, ainda foram cobrados na função de pais por um teste inesperado e muito difícil.

CARLOS EDUARDO

Naquele ano de tantas conquistas, Carlos Eduardo não via o trabalho no banco da mesma forma empolgada que os pais. Aliás, ele enxergava quase tudo por um viés bem diferente da família. Com energia de sobra, ainda criança o menino enlouquecia quando ficava privado de tudo em casa, cumprindo castigo. Quando alguém perguntava "Cadu, você vai ser o quê quando crescer?", ele não sabia. Tanto que cresceu e continuou sem saber. Mesmo se preparando para o processo seletivo no banco, sentia-se sem rumo, como quem não se conhecia. Cadu não foi orientado, apenas domado, e aprendeu a seguir o rastro de pessoas mais assertivas, como a irmã, tão atenta ao que os pais determinavam.

Jaqueline, a menina esforçada, destinada a cumprir qualquer tarefa que lhe caísse nas mãos, abria uma boa estrada, sem dúvida. Quando ela começou a namorar Marcelo, também aluno da academia militar, Cadu se empolgou. Contava com duas inspirações. Parecia o bastante. Inscreveu-se na prova para a academia de Polícia Militar e prometeu a si mesmo compartilhar a notícia com todos assim que tivesse o resultado e uma boa história para contar. Na falta desse desfecho feliz, guardou essa frustração na gaveta dos eventos destinados ao esquecimento. "Deixa pra lá. Não era tão importante assim." O jeito foi candidatar-se a toda e qualquer vaga interessante noticiada nos classificados.

Chamado para trabalhar no banco, Cadu tinha 26 anos, uma namorada havia sete, um diploma de administrador conseguido numa faculdade privada financiada pelo governo e nenhuma certeza sobre o futuro, coisa que só ele sabia. Comemorou a carteira assinada com um churrasco no quintal para os amigos. Pela primeira vez na vida, ele saía à frente da irmã com boas-novas, já que ela enfrentava uma gravidez não planejada que poderia lhe custar a carreira de policial em formação. Cadu ficou tão empolgado em ser o centro das atenções que, ao brindar com cerveja, falou meio de brincadeira, meio bêbado, que agora poderia se casar com Amélia. Todo mundo concordou. Chega de enrolar a moça. Tem uma década esse namoro? Ninguém aguenta. E bebe mais um pouco para os sonhos ficarem melhores.

O trabalho no banco pôs fim aos bicos, aos postos temporários, à vida incerta que Cadu adotara na busca por independência e por um perfil para chamar de seu. Ganhava acima do que poderia projetar, tinha plano de saúde e nenhum motivo mais para reclamar, diziam os pais, fora o trem lotado no qual se espremia diariamente para chegar à agência, no Centro da cidade, de onde nunca conseguiu transferência, sabe-se lá por quê.

Tímido, Carlos Eduardo mal interagia com os colegas do trabalho e detestava atender o público. Sorria pouco, andava curvado. Não havia nada de fulminante na vida de Cadu, nem o namoro com Amélia, diga-se. Paixão nunca definiu aquele relacionamento, mas ele estava acostumado, sossegara o facho, como dizia dona Florinda. Parou de tomar os porres homéricos da adolescência. Amelinha, uma menina bonita e de família direita, era boa para casar. Todos acreditavam. Cadu também. Um dia, Amelinha terminou o namoro e despejou tudo de uma só vez no ouvido do rapaz. Amelinha, tão apagada, explodiu.

"Acabou, Cadu, não dá. Já faz um tempo que não sinto mais nada, só que eu não tinha chance de tocar no assunto. Você conseguiu um emprego, começou a falar em casar comigo, todo mundo achando legal sem me perguntar se era isso que eu queria, se eu estava feliz. Cadu, ninguém me ouve, já tem um ano que me sinto assim e você não me ouve, não me percebe, não me entende, e eu não estava feliz, aliás, não tô e faz tempo. Eu tô arrasada de te dizer isso, me desculpe, mas preciso conhecer outras pessoas. Eu só beijei você, Cadu, nosso namoro está muito chato, e é chato ter 22 anos e tanta certeza sobre o futuro, entende?"

Uma dor silenciosa tomou conta de Cadu. Pensou em dizer que não entendia, mas o discurso de Amélia já contemplara essa parte. "Você não me entende!"

Foi a primeira e última vez que Amélia gritou, e Cadu se calou. Ao se afastar, Amélia mostrou que o amor estava lá apesar de Cadu não ter prestado atenção naquele sentimento. Abriu-se um imenso vazio no peito dele, aquele mesmo peito que parecia não pulsar por nada virara um precipício. Na falta de palavra melhor para definir tanto sofrimento, aceitou a ideia de estar na fossa, embora o nome correto fosse depressão, uma vontade de nada fazer. A tristeza, de tão grande, vazou pela vizinhança e preocupou a mãe. O pai dizia apenas que ia passar, como tudo na vida passa.

Os amigos reapareceram e chamaram para o futebol, o churrasco e a praia. Cadu nada de reagir. No trabalho, o que lhe parecia desinteressante ficara pior. Como superar? Foram meses afundado até o pescoço nesse atoleiro. A pá de cal chegou com a demissão inesperada. Desnorteado, Cadu continuava saindo de casa todos os dias como se fosse trabalhar, sobrevivendo graças ao dinheiro pago na rescisão. Até que uma estagiária do banco, um tanto atraente e outro tanto produzida, surpresa por reencontrar o colega demitido almoçando no Centro, o convidou para uma festa.

"Some não... Vem com a gente, você vai gostar de cruzar o túnel e ver como os jovens da zona sul carioca se divertem", disse, sem intenção de ofender, naquele modo típico feliz de quem aparentemente não possui grandes questões por resolver. Posto desta maneira, até que o convite despertou a curiosidade de Cadu e ele foi.

No apartamento de frente para o mar, encontrou gente bronzeada e interessante. Bebeu bastante como há muito não bebia e desatou a rir. Parecia outro. A música no apartamento estava alta e tinha gente espalhada por todo canto. Havia ainda uma tristeza dentro dele, a ferida chamada Amélia cercada pelo vazio de autoconfiança e pelo desemprego. Ele queria deixar de ser chato. Levantou, caminhou pelo corredor, entrou no banheiro e fechou a porta. Reparou na torneira e na pia diferentes das que havia na casa dos pais, na cerâmica branca, enquanto o barulho do lado de fora ficava distante. Saiu determinado a ser outra pessoa e continuou vagando pelos cômodos até encontrar a estagiária do banco sentada em meio a um grupo animado, rindo alto, segurando um canudinho na mão direita e um espelho cheio de pó branco na esquerda. Pareceu, de uma hora para outra, mais velha. Ela lhe lançou um olhar desafiador e convidou. "Chega aí, Cadu", e Cadu chegou.

Gostou de ser notado e se sentou ao lado dela, reparou no decote, no olhar firme e meio abusado. A moça enfiou o canudinho na narina e inspirou. Ela piscou rápido e começou a rir. Passou para ele o canudo. Cadu já tinha fumado maconha, tomado alguns porres, mas cocaína era uma novidade. Ele inspirou como se estivesse acostumado com aquilo e em seguida sentiu a moça invadindo sua boca com um beijo quente e repentino.

Não demorou muito para a tristeza descer pelas pernas e para o buraco no peito fechar. Cadu se despedia do personagem que não lhe agradava mais. Sentia-se bem, com a autoestima resgatada. A sensação foi tão inusitada e boa que a primeira coisa que lhe ocorreu foi se entregar, perguntando a ela: "Então é isso?"

"O beijo ou o pó?", respondeu, gaiata.

"Adorei os dois!", disse Cadu, o novo dono da situação, um pouco depois, antes de cheirar a segunda e a terceira carreira.

"Só vai com calma aê que custa caro."

"Ah, foi mal", desculpou-se.

A rotina de baladas para cheirar tomou forma. Cadu usava a droga casualmente e bebia cada vez mais. Entrou no esquema da compra, inclusive com novos amigos que tinham o mesmo objetivo. Passou a frequentar bocas de fumo e, para financiar o próprio consumo, começou a distribuir pequenas quantidades entre os demais usuários. Não custava nada fazer isso. Não fazia mal a ninguém, pensava. Namorou por um tempo a estagiária, que aproveitou o fim do estágio para cair fora do banco e da vida de Cadu. Concluiu que ele se tornara um tanto obsessivo com a cocaína.

"Cara, vou te dar um conselho: você tá indo pelo caminho errado", disse ela, com olhos lacrimejantes, antes de se despedir. Cadu não deu a mínima. A cocaína preencheu os vazios, afugentou os fantasmas e, de tão confiante,

Cadu não viu outras assombrações se aproximarem. Estava remediado, ou assim parecia. Não precisava mais de Amélia, o amor da adolescência, da namorada jovem e atraente, de ninguém.

Mãe, dona Florinda foi a primeira a reparar num filho muito diferente daquele que criou. Não era mais a tristeza pós-Amélia mas outra coisa sem nome, uma sensação ruim de não o ver mais ali. Saía muito animado para trabalhar às vezes, ela acreditava, e faltava alguns dias depois sem nenhuma consequência aparente. Deixou de pagar a conta de luz e não falava mais em morar sozinho. Ficara arredio, soberbo e frio.

"Não tá sobrando, mãe, não tá sobrando porque eu ainda tô pagando o carro", dizia seco, abrupto.

Devia ser verdade, a mãe pensava. Carro novo daquele custa caro, os pais sabiam e não entenderam quando Cadu apareceu sem o "possante", dizendo que vendeu.

"Mas, meu filho, cê tava tão feliz…"

Cadu não dava mais satisfação. Mais de dois anos se passaram desde que perdera o emprego sem que ninguém desconfiasse. Gastava tudo em drogas lícitas e ilícitas e as reservas estavam chegando ao fim. A mãe não comentava nada porque, quando o filho aparecia em casa, o melhor era fazer um café. Mesmo que ele não tomasse, como quase sempre. "Anda comendo tão pouco", dona Florinda se ressentia, triste, com seu Antonio, o calado. Gastara sua voz dando bronca nos filhos pequenos. Hoje deixara para a mulher o papel de interlocutora de quase tudo. Como tal, foi o que fez. Um dia, dona Florinda telefonou para Jaqueline e relatou o que andava acontecendo.

JAQUELINE

"Vai falar ou não vai?", disse Jaqueline pela terceira vez. Ela e o irmão estavam sentados havia dez minutos na padaria perto do batalhão. Parecia uma eternidade. O silêncio dele a consumia embora ele estivesse inquieto, mexendo as pernas. Não tocava no sanduíche. Interrogatório não era o forte dela. Terminaria em nada. Jaqueline conferiu o relógio.

"Porra, Cadu, a mãe não tem ideia, mas eu concordo com ela quando diz que tem algo muito errado contigo. Por que vendeu o carro? Que cobrança é essa que eu recebi do banco? Eu entrei de fiadora, esqueceu? E você parou de pagar o financiamento. Se vendeu, cadê o dinheiro? Isso não se faz!"

Cadu olhava para baixo. Levantou a cabeça um pouco de lado como se fosse espiar a irmã mais velha em busca de perdão. Ela viu as narinas vermelhas dele, o nariz irritado. Já tinha visto de tudo na vida mas tem cenas que você não consegue imaginar na sua família. Ele ensaiou fazer um tipo confiante e sedutor. Não convenceu.

"Minha irmã, vocês só não estão acostumados a me ver com uma vida social intensa, fala sério…"

"Cadu, essa vida social está te levando à falência. Você tem que me contar o que está acontecendo", disse Jaqueline, quase implorando que sua desconfiança não fizesse o menor sentido.

"De onde você tirou que precisa cuidar de mim?", ele perguntou num tom desafiador e com um sorriso enigmático. "Você tem que prender traficante. Já não basta? Me deixa solto", disse, tentando fazer graça.

"Isso não é piada, Cadu. A mãe pediu."

Ele se encostou na cadeira revirando os olhos.

"Essa dona Florinda… Pense comigo: Amélia terminou o noivado, minha vida deu uma guinada, eu conheci pessoas diferentes e estou vivendo um pouco coisas que não vivi. Gostou do resumo?"

Pensativa, Jaqueline fitou o irmão por uns segundos, parecia aliviada com a resposta. Vai que a mãe estava exagerando? Seria perfeito se fosse verdade, porque problemas já tinha demais e queria ficar num filho só. Projetou um pouco o lábio inferior para a frente, quase um cacoete de seu estado de dúvida.

"Estou vendo sua covinha da dú-vi-da…", disse ele. Dessa vez, ela riu.

"Você tá gripado? Quer um lenço?", ela perguntou, como se quisesse enganar a si mesma ou só mudar de assunto.

"Eu? Um pouco, sim, meu nariz está escorrendo", disse isso e fungou mais uma vez para confirmar.

"E essa dívida do carro?"

"Foi vacilo meu. Esqueci de pagar, estava agendado, aí o agendamento sumiu, eu resolvi vender o carro porque uso o trem mesmo, era uma despesa desnecessária... Vou acertar contigo, não se preocupe. Preciso só telefonar para o banco..."

Enquanto Cadu falava, um emaranhado de pensamentos invadia a mente de Jaqueline. O irmão parecia um personagem que ela desconhecia.

"Tá namorando ninguém não?", ela perguntou, mudando de assunto.

Ele riu simpático.

"E você?", retribuiu a pergunta sem esperar resposta. Desde a separação, Jaqueline jamais aparecera acompanhada para a família. "Tinha uma garota no banco...", disse Cadu, no automático, antes de se dar conta subitamente de algo. "Foi bacana, mas não durou. Muito novinha."

Cadu não parava quieto, mexendo toda hora no nariz, fungando, agitado.

"Vamos nessa, né? Tenho que ir trabalhar", disse isso olhando para o relógio, agoniado, e fez sinal para o cara do balcão fechar a conta. Quando chegou, ele pegou a carteira, abriu e viu apenas uma nota de cem reais amassada. Jaqueline percebeu.

"Cê paga essa?"

"Deixa comigo", ela respondeu.

Saíram caminhando lado a lado. Jaqueline se despediu e Cadu pegou um ônibus, deixando para trás a irmã intrigada. Aquele coletivo não estava indo para o Centro. Jaqueline sentiu a raiva brotar como uma lança em brasa por dentro do peito. Pensou em socar a parede mas bateu a botina com força na calçada: "Porra, Cadu!"

A capitã voltou para o batalhão irritada. Tinha uma reunião de oficiais marcada com o coronel para definirem a estratégia de uma ação conjunta com equipes de outras áreas. Busca e apreensão de drogas, de novo.

Sentou na cadeira pesando uma tonelada, com o olhar distante e crispado. No fundo, lamentava não ter ficado mais próxima do irmão de alguma forma. Ele estava escondendo algo e ela se deixou enganar. O coronel reparou no clima pesado, no arrasto daquela alma. Acabou chamando a atenção dos demais oficiais para ela.

"Que que houve, fem?"

Fem soara até carinhoso dessa vez e ela se recompôs.

"Nada não, coronel. Problemas pessoais que vou resolver depois. Podemos começar."

A cabeça, no entanto, continuou a mil. No dia anterior, Marcelo, o ex-marido, tinha feito um discurso de ódio contra usuários de drogas para o filho Breno, na hora de entregar o menino para a mãe.

"...porque são esses idiotas que botam dinheiro no crime, entendeu, Breno? O segredo é não passar nem perto. Drogas? Estamos fora!", disse Marcelo com seu vozeirão livre de dúvidas, no trecho da fala que Jaqueline não conseguia apagar da mente.

"Para de falar essas coisas pro menino, Marcelo, ele é pequeno demais pra isso, que mania..."

Seria o irmão um desses "idiotas" que o ex-marido gostaria de dizimar como se fossem párias da sociedade, os financiadores do tráfico? Sentiu um aperto no peito, uma mistura de emoções. Carlos Eduardo se tornara um idiota? E agora? Lembrou-se dos jovens que cansou de levar para a delegacia, apreendidos com pequenas quantidades de drogas; muitos foram parar em presídios, estigmatizados para sempre. Por telefone, depois, Jaqueline acalmou a mãe com certezas que não tinha porque mentiras são eficazes como tranquilizantes.

"Sim, mãe, tenho conversado com Cadu", disse. "Está tudo sob controle."

Controle, no entanto, não definia a situação, e isso foi ficando cada vez mais evidente. Na operação conjunta, à qual Jaqueline compareceu com os pensamentos em frangalhos, dois PMs morreram. A polícia se vingou com uma nova ação em que pelo menos dez suspeitos foram presos e um homem armado, morto. Entre os detidos, dois menores acusados de tráfico juravam ser apenas usuários.

Jaqueline não estava dando conta das demandas. Precisava de ajuda com o filho, mas evitava deixá-lo na casa dos pais. Iniciou e não terminou alguns cursos pela internet pensando em mudar de carreira. Discutia cada vez mais com Marcelo. Voltou a se distanciar de Cadu e, quando lembrava do irmão, distraía-se pesquisando sobre vícios e drogas. Cadu, a pendência eterna, parado no canto da mente. Encontrou uma miscelânea de informações, vídeos e depoimentos de dependentes químicos contando como retomaram a vida pós-drogas e como se comportavam durante o uso.

Um dia acordou certa de que o irmão estava usando cocaína. Por que seu irmão? Nem os pais nem Breno, e muito menos Marcelo, poderiam sonhar com isso, ou o céu desabaria sobre todos antes que ela pudesse se mover. Precisava falar com Cadu.

Num sábado de manhã, Jaqueline apareceu de surpresa para tomar café com os pais na intenção de ver o irmão. Cadu não estava lá.

"Seu irmão não dormiu aqui", disse dona Florinda.

"Percebi, mãe. Que horas ele chega?"

Jaqueline perguntou no automático e tinha se arrependido no meio da frase. Claro que a mãe não saberia.

"Só Deus sabe. Ele não fala pra gente, nem se vai voltar. Às vezes passa duas, três noites fora. Antes ele dizia que era a namorada, mas terminou com essa também, né, Jaqueline? Seu irmão parece nunca saber o que quer", disse dona Florinda, desnorteada. "Eu tô muito preocupada com o trabalho dele…"

Quase na hora do almoço, a porta da sala se abriu. Cadu passou direto para o quarto e se trancou lá como se não houvesse mais ninguém em nenhum lugar. Jaqueline foi atrás.

"Cadu? Cadu?"

A capitã recorreu à sua voz de prisão, porque impressionava e funcionava, tanto que ele abriu, debochado como nunca foi.

"Vai me prender, fem?"

Aquele fem entrou arranhando seus ouvidos, pegou-a de surpresa. Magoou vindo do irmão. Buscando a tranquilidade que não sentia, Jaqueline passou por cima dessa.

"Cadu, você precisa de ajuda…"

Ele estava em pé guardando coisas no armário, andou para um lado, olhou para a irmã, sorriu e se jogou na cama como quem relaxa depois de um longo dia de trabalho. Em seguida, se levantou. Estava frenético. Sentou diante dela, apoiou os cotovelos nos joelhos, acomodou as bochechas da irmã entre as mãos, fungava, aquela corisa irritante de novo, e começou a rir escandalosamente. Jaque, ainda cismada com os pacotes que o irmão praticamente escondera no armário, franziu o cenho e o encarou. Não estava gostando daquilo. Ela se livrou das mãos dele.

"Tá rindo de quê? De idiota?", disse isso gritando.

"Ih... tá chateadinha."

"Não tô chateada, não, Cadu, eu tô vendo você fazendo merda com a sua vida, só isso, e não é um bom espetáculo."

"Você está chateada porque eu usei o que você não gosta, porque é ilegal... e você é a lei!"

"Eu não faço as leis, eu cumpro!"

"Muito bem. Vai ganhar uma sardinha..."

Jaqueline andava pelo quarto e não enxergava saída. Nem tinha certeza se valia a pena insistir na conversa. Mordeu o lábio inferior, fechou os olhos com uma das mãos, respirou fundo em busca de suporte e voltou a encarar o irmão.

"Presta atenção, Cadu..."

Ele sacudiu a cabeça e arregalou os olhos como se fosse um desenho animado e desatou a rir. Jaqueline não estava entendendo nada. Como se tivesse recuperado o bom senso, ele ficou sério e disse que estava bem, que estava tudo bem.

"Minha irmã, eu usei uma coisa esta noite que você não aprova! Confesso. Bote aí na minha ficha que... sujou! Mas não é sempre", disse de uma vez só, antes de arrematar novamente com deboche e rir no meio das sentenças. "Você vai me prender?"

Jaqueline não sabia o que dizer, tinha medo de o irmão morrer, ter um treco, um colapso, um enfarte, se afundar, levar os pais junto, enquanto se sentia também atacada. Como podia ser tão irresponsável? Tão burro?

"Fala baixo!", ela pediu, entredentes, e voltou a controlar como pôde sua irritação. "Você fala com traficante? Quem te dá isso? Onde você compra?"

"Ai, ai, ai... Irmã polícia é foda. Instaurou um inquérito, pronto. Meliante foi visto no morro comprando pó... Se você continuar mandona assim não vai arrumar namorado, não. A farda já é feia pra cacete", disse Cadu, sarcástico como nunca foi.

Jaqueline se olhou de lado no espelho. Estava de calça jeans, blusa de malha e tênis. Um pouco acima do peso, cabelo sem corte, uma bijuteria na orelha era o único sinal de vaidade. Não se sentia mesmo atraente fazia tempo, só não revidaria na mesma moeda. Ficou triste. Cadu de repente parou e sussurrou.

"Isso também é um problema para mim, você ser policial", disse. "Estão querendo me pegar."

Jaqueline arregalou os olhos, deixou escapar ar pela boca sem palavra. Ficou assustada. A raiva estancou.

"Quem, Cadu? Quem esteve aqui?", perguntou, ansiosa.

O rapaz levantou, espiou para o lado de fora, virou para um lado, para o outro e fechou a janela devagar preocupado em não chamar atenção, como se estivesse sendo vigiado.

"Eles. Tem gente querendo me pegar porque você é polícia, mas eu não contei pra ninguém que você é polícia..."

Com o coração disparado, Jaqueline pegou o celular, começou a digitar um número mas desligou. Burrice chamar Marcelo. Não sabia para quem ligar. Foi para a cozinha. A mãe queria saber o que estava acontecendo, o pai ia chegar da rua e aquela gritaria no quarto... "O que está acontecendo, minha filha?" Jaqueline despistou, disse apenas que discutiram porque Cadu precisava dar satisfação para que os pais não ficassem preocupados, mesmo sendo burro velho, só isso.

"Mãe... Você tem notado algo estranho na rua? Gente vigiando a casa? Alguém bateu aqui?"

"Não, filha, que pergunta é essa?"

"Tem certeza?"

"Sim, minha querida."

Tomou o rumo do quarto mas diminuiu as passadas ao ouvir o irmão falando sozinho. Ele continuou quando Jaqueline entrou como se nunca tivesse deixado o cômodo.

"Medo, medo..."

"Medo de quê, Cadu?", perguntou, já com outro tom de voz, tão amedrontada quanto ele. Cadu começou a chorar e deitou no colo da irmã, todo encolhido, como há muito não fazia.

"Eu tenho medo deles me pegarem...Eu estou me sentindo mal agora..."

"O que você tem, Cadu, fala para mim?"

"Eu não sei... Eu não passei na prova da PM."

"Do que você está falando?"

"Eu não passei, e agora eles estão me perseguindo para eu voltar..."

"Cadu... Você o quê?"

A frase terminou antes do fim. Carlos Eduardo se calou com o olhar parado no nada, os olhos vermelhos e as lágrimas descendo pelo rosto. De todos os problemas que Jaqueline enfrentara, nenhum a ensinara a lidar com situação semelhante. Os problemas de sua família giravam em torno de questões simples, por mais atenção que merecessem. Drogas nunca fizeram parte do cardápio das conversas domésticas por serem um tema proibido, naturalmente excluído das preocupações imediatas, porque é distante e aterrorizante como um monstro adormecido. Eis que, no futuro, o monstro acorda e dá passadas certeiras sobre a casa onde o passado de todos ficou guardado, inclusive o dela. Carlos Eduardo acumulara problemas demais dentro de si, frustrações nunca compartilhadas. Tão rebelde e, depois, tão na dele. Transformara-se num mistério e ninguém reparou. Seu perfil depressivo nunca fora tratado. Parecia um menino perdido. Jaqueline compreendeu que estava diante de uma crise de pânico. Abraçou o irmão e chorou também.

"Eu amo você, Cadu..."

Os dois precisavam de ajuda.

Só que ela não teve tempo para isso. Breno caíra doente com uma virose inexplicável daquelas que rendem febre alta, preocupação e nenhum diagnóstico certeiro por uma semana. No início, suspeitaram de dengue. Ela precisou levar o menino para fazer exame de sangue – o que por si só já foi um sofrimento a mais –, mas a hipótese foi descartada. O estresse, no entanto, deixou marcas em noites insones e olheiras profundas. Sua equipe estava preparando a operação para caçar o traficante que tocava o terror na área do batalhão. E ela precisava continuar viva. Tudo que conseguia fazer era, de noite, usar o dedo para clicar com o mouse atrás de informações, grupos de apoio e terapias para dependência, enquanto o filho dormia.

Uma sequência de imprevistos e vazamentos foi empurrando a operação para um futuro incerto. Na data marcada, Jaqueline levantara com o dia ainda escuro. A incursão na favela para pegar Mete-Bala tentava aproveitar a denúncia de que o morro receberia um enorme carregamento de drogas naquela madrugada. O relógio indicava 5h15, o sol começava a nascer. A noite ainda se despedia da cidade quando o celular tocou. Jaqueline se assustou ao ver o número da mãe. A intuição ainda pedia que ela evitasse deixar o filho com a avó, mas naquele dia não teve jeito.

"Oi, mãe... Alguma coisa errada com Breno? Recaída?"

"Desculpe, filhinha, não é o Breno, não. Ele dorme. Eu é que não dormi preocupada. Teu irmão... tá muito esquisito."

"Esquisito, como assim? Fala rápido, por favor. Ele está em casa?"

"Você já está no trabalho?"

"Conta, mãe, não enrola", impacientou-se.

"Pois é, seu irmão não aparece há cinco dias. Nem sempre ele dorme em casa, você sabe, mas como ele fica dizendo que tem gente aqui atrás dele porque você é policial..."

"De novo essa história? Alguém bateu aí, mãe?"

"Ele já tinha te contado isso?"

"Não, mãe, desculpe, estou falando aqui com um colega..."

"Ele diz isso e fica abrindo os armários, espiando pela janela. Cismou que a casa está cheia de baratas que sobem nele e que é por isso que ele não dorme mais aqui, só que não tem nada. Jaqueline, o que tá acontecendo com seu irmão, minha filha? Ele saiu de casa no domingo dizendo que precisava fugir antes que o prendessem e aí não apareceu mais", disse dona Florinda, interrompida por soluços de agonia, deixando silencioso o outro lado da linha.

Jaqueline desligou.

"Tudo bem, capitã?"

"Vamos prender Mete-Bala", disse Jaqueline, para não deixar escapar a pouca certeza que lhe restava e sabendo que sozinha não iria resolver tantos problemas.

A operação resultou numa das maiores apreensões de drogas do seu batalhão: oitenta quilos de cocaína. Geralmente, a informação vazava antes e a polícia não encontrava nada, nem bandido nem arma ou munição enterrada. Dessa vez, deu "tudo certo". O único morto era Mete-Bala, numa situação de óbvio confronto que não renderia dor de cabeça para Jaqueline. Os traficantes foram surpreendidos apesar das sentinelas que dificultaram a entrada. No beco onde jazia o traficante, Jaqueline, agachada, media a pulsação acelerada de Cadu.

"E esse infeliz? Está morto, capitã?", perguntou um sargento, que chegara com mais um pacote de cocaína descoberto na casa de endolação, sem saber que Jaqueline, consternada, abrigava no colo o rosto do próprio irmão, com sinais de vômito, febre e o sangue que escorria de uma das narinas.

"Não fala merda, sargento. Não tá vendo que ele tá vivo? Já chamaram a ambulância!? Tem um homem ferido e outro aqui precisando de ajuda!", gritou, exaltada.

Ninguém entendeu a emoção dela porque o bandido já estava morto, óbvio, mas correram para cumprir a ordem. Um soldado se aproximou carregando mais pacotes de cocaína.

"Nunca vi tanta droga junta. Isso pode matar um exército, não?", perguntou.

"Mata sim, soldado, e estamos todos morrendo por causa da forma como tentamos combater isso. Não reparou ainda não!?"

CARLOS EDUARDO

Na enfermaria do hospital, Carlos Eduardo continuava de olhos fechados e com soro na veia. Não parecia tranquilo, se mexia muito. Sentada ao lado, Jaqueline, de farda, velava o sono do irmão. Observou a barba por fazer e o corpo magro. Tinha perdido peso nos últimos meses e ela não reparara. Como estaria no banco? Ninguém diz nada? O médico plantonista se aproximou.

"Bom dia. Sou o dr. Alberto, chefe da equipe que recebeu seu irmão agora de manhã. A senhora sabia que ele era usuário de cocaína?"

"Desconfiava."

"Ele estava muito desidratado. Devia estar cheirando e bebendo há alguns dias."

"Alguns dias?", disse Jaqueline, repetindo a informação do médico, com espanto, sem a intenção de confirmar o que ouvira.

"Sim, alguns dias. Quando chega neste ponto, eles viram noites."

Jaqueline ficou de pé para ouvir mais de perto o que o médico tinha a dizer. Entre intrigada e curiosa, ajeitou o cinto e esticou as costas.

"Havia uma grande concentração de cocaína no sangue quando chegou. Ele está usando doses elevadas. As mucosas nasais apresentam muitas feridas, daí o sangramento que a senhora viu."

Jaqueline fez uma careta involuntária, os olhos marejaram. Não sabia o que perguntar.

"Tem conserto?"

"Sempre tem."

"Ele podia ter morrido?"

"Ele deu sorte. Não convulsionou, o que, se tivesse acontecido, teria piorado bastante a situação. Difícil prever como o corpo irá reagir, mesmo que ele continuasse usando a mesma quantidade. Quem abusa mistura substâncias, e o álcool potencializa os efeitos da cocaína. Depende muito do estado geral de saúde da pessoa. Tem pessoas que usam cocaína e nunca chegam a esse ponto."

Jaqueline parecia ter sido tirada do torpor com uma ponta de indignação.

"Como é que é!? O senhor tá me dizendo que tem gente que cheira isso e continua normal?"

O médico selou os lábios quase de propósito e expressou sua opinião erguendo as sobrancelhas.

"Normal talvez não seja a palavra. O que eu quero dizer é que ele chegou num ponto muito preocupante. Há quanto tempo ele usa?"

"Não faço ideia. Vocês deram algo para ele dormir?", perguntou Jaqueline, impaciente.

"Não. Ele dorme porque provavelmente não faz isso há muitos dias. Está exausto", respondeu o médico para a mulher, que fixara o olhar na bolsa de soro, semblante triste novamente.

"Ele vai poder sair hoje?"

"Melhor não. Os batimentos estavam muito acelerados quando chegou, estamos estabilizando ainda e monitorando a pressão, que também estava alta. Acho prudente ele ficar aqui por pelo menos 24 horas."

Jaqueline olhou para baixo, desolada.

"Capitã... Aqui na emergência cuidamos das consequências imediatas de uma overdose de drogas. No caso dele, vai ficar tudo bem. O que ele precisa é de tratamento para chegar nas causas. Ou ficará mal de novo. Tem ideia do que fazer?"

Ela balançou a cabeça negativamente. Lágrimas desciam pelo rosto com memórias de um tempo em que o menino Cadu brincava na rua, reclamava dos castigos, irritadinho, e depois tão quieto na adolescência, bebendo escondido, introspectivo e misterioso. Nunca brincaram muito; menino e menina, todos diziam, não têm os mesmos interesses. Deviam ter brincado mais, por que ninguém estimulou? Quem ia saber se eles não tinham interesses em comum? Agora ela tem um filho único, seria maravilhoso se ele tivesse uma irmãzinha. Ou um tio que prestasse mais atenção nele. Jaqueline voltou a si.

"Eu pesquisei na internet mas não cheguei a nenhuma conclusão."

"Procure a psiquiatria do hospital. Eles poderão orientá-la melhor do que eu. Posso te dizer que já vi quadros piores com cocaína."

A capitã soltou o ar, preso quase desde o início da conversa. O médico deu um pequeno sorriso, mostrando empatia diante da policial sem esperança.

"Tem jeito, acredite. Ah, fizemos um exame de sangue nele. Pegue o resultado na saída."

Jaqueline sorriu pela primeira vez, mas o sorriso não durou. O semblante ficou sério.

"Doutor... A gente tá na linha de frente combatendo as drogas, entende? É uma guerra diária, semanal, exasperante e perigosa. Aí você chega em casa e descobre que está lá uma pessoa afundada nesse mundo que você combate. Eu não esperava..."

Os dois permaneceram um instante em silêncio, analisando Carlos Eduardo na cama do hospital. Logo depois, o homem do jaleco branco se despediu educadamente. Tirou os óculos e enfiou no bolso. Precisava visitar outros leitos. Deixou Jaqueline sozinha com suas dúvidas.

Carlos Eduardo acordou um pouco depois. Parecia envergonhado.

"Como você está?", perguntou Jaqueline.

"De camisola...?"

"Você não fica bem de camisola."

Ele riu.

"Isso eu sei. O que aconteceu?"

"Você não se lembra?"

"Não."

"Eu te encontrei desacordado... ou dormindo, ainda não entendi."

"Caramba... Onde?"

"Jura que você não faz ideia de onde estava?"

Cadu baixou os olhos aguardando a notícia.

"Caído na boca da favela que a gente invadiu ontem, no meio de um tiroteio que matou um traficante. Tinha outro sujeito escorando você. Ele acordou, se levantou e foi embora. Não quis ajuda. Parecia um mendigo. Aliás, você não estava muito diferente dele. Há quanto tempo não toma banho, Cadu?", perguntou. Estava perdendo o controle sobre a irritação que nascia dentro dela à medida que recontava a narrativa de horror do dia anterior. "Cara, me deu um susto do caralho! Eu pensei que você estava...", e explodiu em lágrimas depois. "Cadu... você fedia." Jaqueline fez um muxoxo e segurou a mão do irmão. "Deixa eu te ajudar... por favor. Se mamãe e papai sonharem com isso..."

"Não conta, por favor! Haja o que houver, não conta, Jaque."

"Mas pra isso você precisa ficar vivo ou eu vou ter que explicar por que você morreu."

A boca entreaberta fechou, Cadu levantou o braço como quem checa o soro entrando.

"Desde quando você frequenta aquela comunidade?", perguntou Jaqueline, sem obter nenhuma resposta. Minutos em silêncio a fizeram perceber que, àquela altura, esse tipo de informação não faria muita diferença.

"Te decepcionei, não foi?", perguntou Cadu.

Claro que tinha decepcionado, preocupado e gerado inquietações que ela jamais sentira. Mas Jaqueline não disse isso.

"Quando você sair daqui vai para o meu apartamento, pode ser? Vai ser no sábado. Acho que você precisa mudar os ares. Tira uma licença médica do trabalho, vou dar um jeito nisso."

"Jaque..."

"Hum?"

"Não tem trabalho."

"Como não tem?"

"Fui demitido."

O lábio inferior de Jaqueline foi projetado à frente, deixando à mostra a covinha de sua irritação. Ela levantou, sentou novamente, apoiou os braços sobre os joelhos e, balançando as pernas, encarou o irmão num derradeiro esforço para manter a calma.

"Vamos resolver, tá bem? Já volto", disse isso limpando as lágrimas e saindo apressada da enfermaria, movida por um misto de raiva e necessidade de resolver tudo.

Cadu virou para o lado.

Jaqueline perguntou onde ficava a psiquiatria, desceu dois lances de escada, percorreu um corredor longo enquanto elaborava todas as perguntas possíveis na cabeça. Chegou aonde queria e pediu ajuda a uma enfermeira.

"Eu preciso falar com algum médico da psiquiatria."

"Quem é a senhora?"

"Meu irmão está na emergência. O médico de lá, o dr. Alberto, pediu que eu viesse aqui."

"Um momento só. Vou chamar a dra. Patrícia."

Sentada num banco no corredor, Jaqueline ficou lendo as placas das portas em busca de distração. "Departamento de Psiquiatria", dizia uma bem em frente a ela. "Achei que psiquiatria só cuidava de doido", pensou. Jamais gostara desse nome. A sala do diretor se localizava mais para a direita. Um pouco além, havia um aviso: "Proibida a entrada de pessoas estranhas." E pensar que "pessoas estranhas" é o que mais tem por aí e doido também, quem não é um pouco? Acabou rindo com o canto da boca sem muita convicção. Ela, fardada, num ambiente hospitalar, sentia-se um tanto estranha.

Pegou o telefone e ligou para a mãe do amiguinho de Breno que ficara de levá-lo à escola para checar se estava tudo em ordem. Agradeceu e combinou que no dia seguinte seria ela levando e buscando os dois porque estaria de folga. Mandou um beijo e desligou. Pensou em telefonar para a mãe. O celular tocou antes. Era Marcelo. Não ficaria com Breno no fim de semana porque tinha pintado uma viagem de trabalho. Típico. Jaqueline ia se revoltando à medida que Marcelo se explicava. Desligou sabendo que precisava reprogramar o fim de semana todo, logo agora que pretendia deixar o irmão em casa. Seria bom que Breno não estivesse por perto. Os problemas só aumentavam. Até que a porta da sala do diretor se abriu e apareceu uma mulher surpreendentemente bonita, com cabelos encaracolados soltos, usando um jaleco branco no qual ela leu "Dra. Patrícia" numa caligrafia caprichada, bordada em azul-claro.

"A senhora estava me esperando? Desculpe a demora. Venha até a sala para falarmos."

Jaqueline entrou em silêncio, sentou-se e percebeu o quanto estava constrangida. Em sua mente não restara nenhuma das perguntas que elaborara no caminho da emergência até aquele andar, e quando a médica perguntou "como posso ajudar?", Jaqueline desabou.

"Eu não sei. Estava pensando em levar meu irmão para minha casa, mas acabei de saber que vou ter que ficar também com meu filho e ele só tem quatro anos e eu preciso que alguém me ajude ou não terei como ajudar o meu irmão."

Quando terminou, Jaqueline percebeu a confusão de temas, o discurso misturado, o desabafo desenfreado, e chorou. A médica segurou suas mãos com firmeza e, por trás do olhar jovem, quase inexperiente, surgiu uma mulher tão segura que Jaqueline estancou.

"Vamos começar pelo seu irmão porque parece que seu filho está bem e não é um problema, certo? Ele deve te dar muitas alegrias, acertei?"

Jaqueline balançou a cabeça positivamente e ensaiou sorrir.

"Ainda bem, vamos lá então..."

Enquanto a policial contava os últimos acontecimentos, as cenas e desconfianças, a história foi tomando forma, ganhou nomes e sentido. Os personagens adquiriram passado, presente e futuro. Jaqueline falou do Cadu menino, do Cadu jovem, filho e irmão. Descreveu os pais, a infância de privações e de luta, chegou ao dia a dia na polícia e discorreu sobre o combate ao tráfico, o medo das drogas e da morte. A médica prestava atenção sem interrompê-la. Quando reuniu elementos suficientes, disse para Jaqueline que o caminho tinha volta.

"Todo quadro de dependência esconde um outro mais difícil de diagnosticar, um lugar complicado de doenças psíquicas, fragilidades, desajustes, vazios..."

"Ah, peraí, vai me dizer que meu irmão é maluco?"

A médica chegou para trás surpreendida.

"Eu não disse isso... Talvez ele tenha alguma doença psíquica. Cerca de 40% das pessoas que desenvolvem dependência a entorpecentes apresentam um quadro de depressão severa, é muito comum. Eu só..."

O celular de Jaqueline tocou de novo. Ela atendeu e a médica silenciou. Chamada do quartel não poderia ser ignorada, aliás, do coronel. Abriu-se um sorriso no rosto de Jaqueline, ela agradeceu, disse que estaria lá em instantes. Ao desligar, virou-se para a psiquiatra e se desculpou.

"Preciso resolver algo importante antes de voltar para levar meu irmão."

"Bem, então aconselho a senhora a procurar ajuda com algum psicólogo da PM. Há muitos bons profissionais. Talvez se surpreenda com o que eles têm a dizer."

"Na PM? A senhora quer que eu conte na PM que tenho um irmão viciado!? Eu sou policial mas meu juízo está perfeito. Doutora, foi um prazer conhecê-la. Obrigada por me ouvir."

Nas 24 horas seguintes, Carlos Eduardo ficou na enfermaria coletiva do hospital e recebeu a visita dos pais, ansiosos, acreditando que ele tinha sofrido um mal súbito, porque foi essa a história que Jaqueline contou. Dona Florinda levou um sanduíche de queijo com pão de milho, suco de maracujá da fruta, pavê para a sobremesa e bala de leite, o lanche preferido do filho. Cadu sentiu o coração aquecer e, culpado, pediu desculpas aos pais.

"Meu filho, não tem que se desculpar por estar doente, não é, Antonio?"

Só Cadu sabia que estava destruindo sonhos sem que se dessem conta. Destruía também a si mesmo, sob o olhar inocente de ambos. Precisava dar uma guinada. Só não sabia como. Durante a visita, falaram de amenidades. Cadu disse que voltaria logo ao trabalho porque já estava muitos dias fora. Pôs-se a inventar histórias e mentiras que, por um curto espaço de tempo, lhe fizeram bem.

Estava pensando em nadar também para cuidar melhor da saúde, embora nunca tenha levado nenhuma prática esportiva a sério. Dona Florinda e seu Antonio ouviam entusiasmados o plano do filho. "Sigo internado por excesso de zelo dos médicos", foi o que ele disse, e a mãe acreditou.

No dia da alta, Jaqueline foi buscar o irmão, sem Breno. Saíram para almoçar juntos e Cadu observou, curioso, em frente ao botequim, uma placa indicando local de meditação. Sessões gratuitas e abertas diariamente às 20h. Jaqueline se virou para trás a fim de conferir para onde o irmão tanto olhava.

"Tá pensando em meditar?"

"Por que não? Meditei muito lá naquela cama do hospital."

"Faço ideia."

"Preciso de um rumo, Jaque."

"Notei."

"Você é meio debochada às vezes."

"Não estou sendo debochada, juro. Vai lá ver, ué, não é de graça?"

Ao fim do almoço, Cadu subiu a escada do sobrado onde estava a placa. Sentiu um leve cheiro de incenso no ar. Na entrada, topou com uma estátua de Buda e uma outra de um homem – ou mulher? – com tromba de elefante, o deus Ganesha, mas isso ele não sabia. Em cima do balcão, um aviso manuscrito pedia "toque o sino para receber assistência". Logo na entrada, havia um quadro de avisos repleto de folhetos de atividades. Antes de chamar alguém, Cadu parou para ler. No meio da confusão, enxergou o anúncio de uma comunidade terapêutica. Ajudamos você a se livrar das drogas. Junte-se a nós. Cadu pegou o celular, fotografou o folheto e foi embora. Jaqueline ficou perto observando e não disse nada.

JAQUELINE

O tempo continuou correndo sem grandes reviravoltas na vida da Jaqueline, ainda às turras com o ex-marido, os altos e baixos de Cadu e da profissão, até uma nova política de segurança ser anunciada.

As unidades de polícia pacificadora (UPPs) representavam a nova esperança da cidade do Rio de Janeiro no enfrentamento à violência urbana. Uma estratégia baseada na retomada de áreas antes controladas pelo tráfico com o propósito de diminuir a violência e permitir a chegada de serviços básicos aos moradores. Fazer valer a lei. As UPPs pretendiam criar uma proximidade inédita entre polícia e comunidade.

Convidada a comandar uma UPP, a capitã Jaqueline sairia do front das áreas conflagradas. Pela primeira vez, poderia atuar na prevenção. Sua UPP, assim como muitas outras, não ganharia o apoio imediato da comunidade. A presença de uma mulher inteligente, uma figura materna, ajudaria a quebrar a resistência inicial e a desconfiança em relação à polícia, disse o coronel, repetindo orientações do secretário de Segurança. "Precisamos de uma nova polícia", afirmou, peremptório. Encantada, Jaqueline aceitou. Foi o início de uma lua de mel prolongada com a instituição. Contou para o filho que a vida ficaria mais fácil.

"As pessoas vão gostar de ver a mamãe por perto", disse para o menino, feliz diante da boa perspectiva.

O novo papel na polícia despertou nela a vontade de se apresentar também de outra maneira. Passou a cuidar mais da própria imagem, com mais maquiagem e brincos discretos e dourados. Tatuou o símbolo da paz nas costas, escondido sob a farda, um compromisso secreto assumido consigo mesma. Estar no centro das atenções, não por ser mulher, mas por liderar um novo projeto, surtiu o efeito de um ano de análise. Atuava na prevenção da violência e não na repressão – ou pelo menos essa era a ideia.

Na vida particular, a luta continuava. Cadu ainda morava na casa dos pais. Nos últimos dois anos, por iniciativa própria, frequentara uma comunidade terapêutica fora do Rio onde ficou submetido a uma rotina que em muito lembrou seus castigos de infância, de privações e recompensas. Para ele não funcionou. Depois de um ano, voltara a usar cocaína e a beber sem controle.

A essa altura, dona Florinda e seu Antonio não estavam mais sendo poupados do sofrimento do filho nem dos comentários na vizinhança. Todos sabiam da crise na casa 18. Pena de dona Florinda. Coitado do seu Antonio. Uma situação. Dona Florinda envelhecera alguns anos em pouco tempo, e seu Antonio, que já não era dado às falas, afundava-se num silêncio exasperador. Dona Florinda preferia não acreditar que aquilo estava acontecendo com o filho dela, repetindo dia e noite para Antonio uma pergunta que continuaria sem resposta. "Onde foi que eu errei?"

Cadu seguia desempregado e desiludido. Jaqueline ameaçou interná-lo.

"Eu pago, Cadu, eu pago! Mas me diz pelamordedeus se você quer se tratar, se quer largar o vício, se está disposto a isso, porque eu trabalho muito para ganhar o que ganho, e não é muito!", disse a irmã.

"Eu não sei se vai funcionar. Você é aquela para quem tudo costuma dar certo, não eu!"

A conversa dos dois terminou como começou: sem conclusão e cheia de mágoas. Cadu continuava oscilando entre os extremos de sua contradição: uma parte queria se libertar e a outra, se destruir.

O trabalho na UPP, no entanto, trazia novidades e recompensas todos os dias para Jaqueline. Aos poucos, a capitã conquistava respeito e gratidão na comunidade. O tráfico desaparecera de vista junto com suas armas pesadas, embora continuasse discreto em certos becos. Todos sabiam. Antes assim, no subterrâneo da comunidade, do que o confronto direto. É o que Jaqueline acreditava. A comunidade pacificada começou a atrair turistas, e um estrangeiro entusiasmado abriu um albergue. Um dia, pediu para conversar com a comandante.

O jovem português largara o trabalho em seu país de origem devido à crise econômica. Viajou em busca de aventura e de uma vida mais quente nos trópicos. "O Brasil é a terra da oportunidade para muitos jovens portugueses", contou o rapaz para uma Jaqueline impressionada. "Quem diria", ela disse pensando alto. Comprou um sobrado, reformou e fez ali um hotel para jovens, com quartos coletivos de bom gosto e uma vista privilegiada da Cidade Maravilhosa. "Lugar melhor não há, capitã", afirmou orgulhoso o rapaz português, no dia da inauguração, à qual Jaqueline fez questão de comparecer.

"Capitã, esses gringos vão alimentar o tráfico de novo. Adoram uma maconha", anunciou um praça cheio de boas intenções. Jaqueline olhou para ele como se tentasse extrair alguma conclusão daquele comentário. Não conseguiu.

"Obrigada por avisar, ficaremos atentos e só agiremos mediante ordens minhas, está claro?"

"Sim, senhora, capitã."

Certo dia, Jaqueline encontrou o dono do albergue tomando café numa padaria da comunidade. Pediu licença e sentou-se ao lado dele no balcão.

"Me diga uma coisa: esses holandeses que chegaram esta semana são amigos seus?"

"Algum problema, capitã?"

"Não, nenhum. Quer dizer, teve moradora reclamando da festa da maconha."

O português riu sem querer e depois se recompôs.

"A senhora sabe que, na Holanda, quem quer fumar maconha o faz legalmente em cafés especializados, não sabe?"

"Sim, certamente."

"Os caras chegam aqui meio desajustados em relação à nossa realidade, saem logo para comprar, mas são pessoas que preferem fumar um baseado em vez de beber. Eu não tenho como impedi-los se não estão me causando problemas, ou estão?"

"Na verdade, não... Eu só queria saber se eles também usam... outras drogas."

"Cocaína? Não vi. Talvez um ou outro. Como vou saber? Nenhum me parece um dependente de drogas."

"Um tipo que precisa todo dia, você me diz?"

A civil Jaqueline ouvia muito interessada a tudo o que ele tinha a dizer, e ele percebeu que a militar não estava mais lá.

"Isso, um tipo que abusa. Não vejo abusos, comandante. Vocês estão a enfrentar aqui problemas porque consideram os usuários uns criminosos, não percebes?"

"Você acha?"

"Claro, isso leva muitos jovens a mentirem para seus pais, a mentirem nas escolas, a se envolverem com pessoas erradas e a não saberem como evitar o pior."

"Por que você tem tanta certeza?"

"Em Portugal, vender é crime e, apesar de as drogas continuarem ilegais, usar não é crime."

"...?!"

"Em Portugal, eles descriminalizaram o uso das drogas para poder chegar perto de um dependente e oferecer a ele ajuda em vez de prisão. É uma nova forma de ver essa relação, e te conto, capitã, que até agora não houve nenhum resultado ruim dessa iniciativa, pelo contrário."

"Fizeram isso com a maconha?"

"Não, capitã, fizeram com todas as drogas."

"Todas? Até as mais pesadas?", perguntou Jaqueline, abismada.

"Todas. E todo mundo reagiu quase como a senhora quando isso começou. Eu lembro bem, foi em 2001, eu estava a estudar ainda na faculdade e a senhora pode imaginar como comemoramos o fato de ninguém mais ser preso por causa de um cigarro de maconha."

Jaqueline não se conteve e riu.

"Houve muita crítica, disseram que os jovens iam se drogar como nunca."

"E o que aconteceu?"

"Bem, sei que Portugal apresenta níveis de consumo de drogas muito menores do que em outros países. Se eu servir como exemplo, parei de fumar. Experimentei a maconha em algumas festas da faculdade, nunca fui adicto de nada. Me deixa muito sonolento. Sempre preferi uma boa cerveja gelada, ainda mais aqui nesta cidade quente."

Jaqueline nem sequer piscava. O interlocutor ficou desconfiado.

"Estou a aborrecer a senhora com estes casos?"

"Não, pelo contrário, gosto muito de saber, obrigada. É que outros pensamentos me invadiram, muitos problemas."

"Posso imaginar."

"Preciso ir."

Despediram-se e, de volta à UPP, Jaqueline sentou-se em sua mesa para atualizar os boletins do mês que se encerrava. No livro das ocorrências, havia jovens detidos com pequenas quantidades de drogas, sendo um deles uma mulher. Checou as informações e viu que ela tinha sido enviada para a delegacia. Estaria presa? Jaqueline ficou incomodada. Tentou descobrir o paradeiro da garota, mas acabou se ocupando com outras demandas e esqueceu o assunto.

O fim de semana se aproximava e Marcelo, mais uma vez, estava muito ocupado para dar conta de seu papel de pai. Impaciente, Jaqueline já não fazia questão de esconder do menino sua contrariedade. Não tinha tempo para si, não tinha tempo para nada mais, e ainda arrumara um filho adulto para cuidar, o irmão. A mulher encolhia a olhos vistos, sobretudo diante do próprio espelho. A intuição lhe dizia, no entanto, que ela devia insistir. Breno precisava dos dois, mesmo que o pai dele não fosse o homem dos sonhos. A insistência resultou num almoço, quase de negócios, com Marcelo. Precisavam conversar e aparar umas arestas, ela explicou e ele compareceu.

"O que houve? Vai casar?", perguntou Marcelo com sua costumeira mania de brincar com o tema errado.

"E por que você acha que eu te encontraria pessoalmente para dizer isso?"

"Sei lá, fez tatuagem, tá maquiada. Parece que tem homem na história. Acho até que emagreceu."

"Ai, Marcelo... desde quando eu preciso de homem na minha vida para mudar minha aparência ou fazer tatuagem? Além do mais, nada disso te diz respeito e o único assunto importante que temos para tratar juntos é nosso filho, lembra?"

Incomodado com o passa-fora, ele empurrou a cadeira mais para longe da mesa e pegou o cardápio.

"O menino sente falta de uma figura paterna, para sair, jogar bola, fazer um programa qualquer, sei lá. Ele está nessa fase, já vai fazer seis anos, e você quase não tem aparecido. Ele fica muito mais nos meus pais do que contigo, que é o pai!"

"Seu irmão é tio e também não ajuda nada. Aliás, né..."

A indignação travou a voz de Jaqueline. Pensou um palavrão, um não, um monte, uma expressão inteira. Cara burro.

"Vamos falar sério aqui? Os problemas do meu irmão não estão na pauta. O pai é você."

"Mas eu só falei isso porque você começou dizendo que faltavam figuras masculinas na vida do Breno e tem tantas, eu, o tio, o avô..."

"Figura paterna! Podemos fechar nisso?"

O incômodo instalado impediria a conversa de tomar o rumo certo.

"Serei mais clara: sou policial como você. Tenho as mesmas incumbências, o mesmo salário, o mesmo regime cão de trabalho, mas você nunca pode ficar com ele, nunca pode ir na reunião da escola, nunca pode nada! Como se fosse apenas minha obrigação. Você não tá se percebendo, não? Tá se achando mais importante ou o quê?"

"Nós dois sabemos que ser fem é diferente. Que você tem regalias…"

"Regalias!? Você tá de sacanagem comigo, não tá?"

Jaqueline estava quase gritando. Tentou restringir o foco da discussão.

"Viemos aqui falar de você como pai e não de mim como policial, pode ser?"

Marcelo levantou as sobrancelhas num gesto de surpresa.

"Você quer que eu seja pai da sua maneira e não da minha. Você quer educar ele sozinha, sempre quis. Discorda de tudo que digo, muda o que eu falo para ele."

"A sua maneira de ser pai te mantém muito longe dele, Marcelo. Isso não é maneira, é fuga."

"Quando estou perto você me corrige, me reprime."

"Eu só peço que você não fique doutrinando o Breno, ainda tão pequeno, com essa visão radical que você tem de tudo. Caramba, Marcelo, o menino já é filho de dois policiais, o que por si só já é puxado… Quando eu ouço você falando besteira, me meto, sim."

"Ah, Jaque, tu tá parecendo aqueles intelectuais chatos com peninha de bandido, que eu já sei que tu morre de pena de menor traficante."

"Quem te disse isso!?"

"Cê não sabe da sua fama, não?"

Jaqueline perdia o controle da situação e se irritava com tudo o que ele dizia.

"Eu não morro de pena, não, Marcelo, eu apenas estou enxergando coisas que não via antes. É muito mais simples, realmente, você ficar elegendo culpados e acreditar que o mundo vai ficar melhor cada vez que você atirar contra um marginal e prender um viciado."

"Você quer que eu deixe ele atirar em mim primeiro? Aí é que o Breno fica sem figura paterna mesmo."

Depois de uma respiração profunda, ela sugeriu pedirem algo para comer. Ficaram um tempo calados. As palavras de Marcelo reverberando na cabeça dela. A comida chegou. Nunca teriam dado certo como casal. Cresceram por caminhos diversos, rotas desencontradas. Ele não oferecia nenhum alento para as perguntas dentro dela. Nenhum sinal de cumplicidade restara. Definitivamente, um insensível.

"Jaqueline, eu me preocupo muito com o Breno, você não deveria duvidar disso."

Ela olhou para ele cética, tentando separar naquele homem o que não prestava e o que valia a pena. Precisava fazer esse esforço em nome do filho.

"Eu falo as coisas porque não quero que ele faça nada de errado, se envolva com pessoas erradas. No que depender de mim, ele nunca usará drogas porque ele já sabe que não é bom. Ele conhece o lado ruim da força."

Ela não conseguiu evitar um sorrisinho irônico. Coitado, bem-intencionado, sem dúvida, tão cheio de certezas.

Jaqueline enveredara por uma investigação particular sobre drogas e violência urbana, o fenômeno contemporâneo e preocupante no Rio de Janeiro onde ela vivia e trabalhava. A violência afeta a vida de todos, não apenas daqueles que, como ela, têm por dever de ofício encarar o problema. Ela empreendia uma guerra para combater as drogas e, na prática, lutava contra pessoas.

Seu irmão não escolheu ser assim, o médico da emergência tinha lhe dito no dia em que ela foi buscá-lo no hospital depois da internação por overdose. "Mais ou menos, não é, doutor?", respondeu então com um quê de sarcasmo. O irmão não era tão inocente. Fazia pequeno tráfico, o que ela descobrira vasculhando o armário dele. Botou fogo na porcaria toda no quintal. Quando Cadu chegou, não disse nada. Fingiu que não era com ele. A mãe tampouco entendeu a fogueira fora de hora. Jaqueline guardou tudo para si.

A conversa que ajudaria a transformar sua compreensão da história aconteceu quando ela recebeu, na UPP, a visita de um psicólogo da Polícia Militar, um capitão com uma pesquisa de campo sobre as condições de trabalho dos policiais. A conversa seguia pelas amenidades do dia a dia e a relação da polícia com moradores. Ele checou alimentação, local para descanso, disponibilidade de materiais e armamentos e perguntou de maneira geral como ela avaliava a situação emocional da tropa.

"Muito estressada", disse Jaqueline. "A começar por mim."

"Faço ideia", respondeu o capitão, aguardando em silêncio respeitoso a capitã completar o pensamento. "Não acho que seja fácil fazer o que vocês fazem, mas fui informado de que esta comunidade está pacificada de verdade, se posso usar essa expressão sem ser repreendido."

"Verdade. Não há mais confrontos desde que cheguei. Os traficantes foram presos. Restaram os 'vapores' e gente pequena na estrutura deles, o que me preocupa, diga-se, mas os policiais daqui não precisam entrar em combates como fazíamos antes."

"Então não há tanto estresse."

"Pensando bem, não. Acho que ele é maior em mim."

"Alguma coisa em que eu possa ajudar, capitã?"

"Não sei. Vocês psicólogos têm essa cara de bonzinhos compreensivos…"

"Precisamos ter essa cara, capitã, porque assustando não dá para ajudar ninguém."

Ele segurava uma caneta com a mão esquerda. Era canhoto e quase não piscava, aparentando uma calma comovente. Os olhos de cor mista pareciam se destacar pelas lentes dos óculos sem aro e com hastes discretas. Por um rápido instante, Jaqueline pensou que fazia tempo não conversava com um homem bonito.

"Essa entrevista é sigilosa?"

"Absolutamente. As informações que embasam meus relatórios não contêm fontes nem nomes. Não posso expor pessoas nem a instituição. Também temos um código de ética, capitã."

"E se eu te falar que eu tenho um irmão com problemas com drogas? Alguém vai saber?"

"Nunca. Mas você não precisa falar do seu irmão."

"Não preciso?"

"Não precisa desse artifício."

Jaqueline explodiu em gargalhadas e fez isso tão espontaneamente que o psicólogo recuou e piscou com mais frequência.

"Desculpe, ando precisando rir de qualquer coisa, mas é sério. Não estou falando de mim, é do meu irmão mesmo."

Sem graça, o psicólogo recomeçou.

"Me chame de Alexandre. Somos dois civis conversando a respeito de uma questão de saúde a partir de agora, pode ser?"

Foi assim que Jaqueline soube, aliviada, que Cadu nunca fora perseguido por ninguém, a não ser por seus próprios fantasmas; que muitas pessoas sob efeito de drogas entram em paranoia, consequência corriqueira provocada pela cocaína. Ela ouviu que dentro da corporação o problema das drogas ganhava uma dimensão mais preocupante. Um policial flagrado usando substâncias ilícitas pode ser expulso. O tabu e a política repressiva em relação às drogas, nesse caso, é a mãe do medo incapacitante, aquele que impede a pessoa de procurar informação, socorro e se ajudar, explicou o psicólogo. O dano cresce.

"Quando chegam até a mim, o vício está num nível desesperador. Imagine o fim da linha? É isso", disse Alexandre. "Essa cultura do certo e do errado cria resistências, ou seja, pessoas avessas a entender o que elas acreditam não ser o normal", discorria o profissional. "Em poucas palavras", ele enfim se arriscou, "estamos esquecendo que somos todos humanos, sujeitos a falhas e que às vezes precisamos de ajuda. Vulnerabilidade faz parte da nossa natureza. Algumas pessoas ficam mais vulneráveis do que outras a certos comportamentos, e o que o seu irmão precisa é encontrar o caminho dele de cura, talvez por isso a comunidade terapêutica não tenha servido para ele."

Houve um breve silêncio e ele viu se desenhar no rosto de Jaqueline um sinal de gratidão. Ela enxergou nas palavras dele o conforto que buscava.

"E, na minha opinião, isso vai passar, obrigatoriamente, por um processo de autoconhecimento. A pessoa precisa se aceitar e se perdoar."

"Eu tenho essa impressão, de que meu irmão sempre esteve perdido. Nunca soube se amava a namorada, se queria aquele trabalho...", disse Jaqueline, esforçando-se para fazer um inventário do que ela sabia sobre Cadu.

"Não se cobre tanto", ele disse, e essas palavras geraram um certo desconforto em Jaqueline, como se fosse ela a analisada. Ajeitou-se na cadeira procurando distância e, sem perceber, ajeitou o cabelo para trás no rabo de cavalo, preocupada com a própria imagem.

"Pelo que você me contou dele, eu não arriscaria um tratamento que exija confissões de culpa e decisões radicais, embora este seja um caminho eficaz para alguns, o da abstinência total. Posso te indicar locais onde essas reuniões acontecem. As reuniões abertas acolhem a família, as pessoas próximas", disse Alexandre.

Jaqueline ficou um tempo perdida e afundada nos próprios pensamentos. Alexandre percebeu e respeitou isso. Quando notou que ela voltou a si, elevou a dose de simpatia com uma oferta mais interessante.

"Se você quiser, eu posso atendê-lo. Leve-o à Policlínica no meu expediente para uma consulta e deixe ele descobrir o próprio caminho de cura."

CARLOS EDUARDO

Quando dona Florinda ouviu o baque e o barulho de vidro quebrando chegou a hesitar, torcendo para que aquilo não fosse em sua própria casa. Correu assustada até o quarto do filho, de onde não vinha nenhum som. Deparou-se com Cadu caído ao lado da cama. O abajur da cômoda tinha sido derrubado e a lâmpada, quebrada. Uma espuma branca saía da boca do filho, cujo olhar fixo com as órbitas ameaçando escapar para baixo das pálpebras não percebia nada ao redor. Ele tremia. Dona Florinda nem se abaixou. Saiu gritando em desespero.

"Meu filho, o meu filho!"

Incapaz de se explicar, ela repetia o mais rápido que podia aquilo que também ameaçava sufocá-la e transferiu para a primeira pessoa que encontrou a responsabilidade de dar um basta ao infortúnio.

"Não deixa, não deixa ele morrer. Não deixa!"

A vizinha apareceu rapidamente na porta, de onde também não sabia o que fazer porque nem entendeu o que estava acontecendo. Seu Antonio tinha ido ao mercado logo cedo. Cadê esse homem, meu Deus? Cadê? A técnica de enfermagem que seguia para o trabalho acudiu às pressas. Entrou na casa onde tudo parecia em prantos e segurou Cadu. Pediu calma a todos enquanto falava com ele. Então as decisões começaram a acontecer uma depois da outra. Alguém chamou a ambulância do serviço público de saúde. Outro preparou água com açúcar para dona Florinda, e alguém trouxe o telefone porque era preciso encontrar Jaqueline, mas a voz quase não saiu.

"Minha filha... o seu irmão... o seu irmão..."

"Que tem ele, mãe? Fala!"

A vizinha teve que completar a frase porque dona Florinda não conseguiu. Com o coração aos pulos, Jaqueline avisou que iria direto para o hospital, próximo ao batalhão. Chegaria lá antes de Cadu e esperaria por ele.

Quando seu Antonio, que não tinha celular, chegou em casa, Cadu já tinha sido levado pela ambulância, que, por coincidência, circulava pelo bairro, e restara apenas dona Florinda com a vizinha para dar a notícia completa. Poupado da cena explícita que todos presenciaram, seu Antonio não precisou ficar tão nervoso, apenas emocionado. "O Caduzinho..."

Jaqueline sugeriu que os pais pegassem um táxi até o hospital, meio de transporte que eles não consideravam nunca. Ela pagaria. Não era hora de economizar. Na entrada da emergência, o casal precisou aguardar autorização para ver o filho. Na ilha da enfermagem, onde dona Florinda, amparada por seu Antonio, apoiava as mãos e os medos, um enfermeiro perguntou se Carlos Eduardo tinha alguma alergia.

"Camarão...", disse dona Florinda.

"Usuário de drogas?"

Dona Florinda abriu a boca e não disse nada. Seu Antonio levou um susto, perguntou "o quê?" e se mostrou ofendido. Sem graça, o enfermeiro agradeceu a atenção e pediu que eles aguardassem um pouco. Passou a mão no telefone para transmitir instruções sobre o paciente a caminho do CTI.

"Paciente masculino de 32 anos, encontrado em casa em crise convulsiva, medicado e removido desacordado. Provável intoxicação por droga. Risco de pneumonia por broncoaspiração. A saturação está caindo. Vocês avaliam quanto à entubação."

O relato cheio de dados incompreensíveis ruiu a estrutura emocional de ambos, já tão fissurada. As informações obscuras falaram diretamente ao coração dos dois. E justamente por não compreender, Florinda e Antonio entenderam como ninguém o quanto estavam impotentes diante do sofrimento do filho. Jaqueline surgiu de dentro da emergência e se deparou com os pais cabisbaixos. A mãe chorosa, o pai amedrontado.

Abraçaram-se sem nada dizer.

Até que o pai rompeu o silêncio.

"Foi droga, foi?"

Cadu permaneceu entubado e sedado por 24 horas. Com a capacidade respiratória comprometida pela broncoaspiração e um princípio de pneumonia, ele precisou de cuidados intensivos. Quadro tão difícil de encarar, os pais nunca tinham visto. Dona Florinda passou horas aguardando o restrito horário de visitas do CTI, só para entrar, rezar, chorar e pedir a Cadu, "Volta, meu filho". Antonio segurava no antebraço da mulher querendo mais apoio do que oferecendo ajuda.

Quando foi tirado da sedação, e já sem o respirador, Cadu trazia a incômoda sensação de que, por um acaso, poderia ter partido. Jura ter visto o próprio corpo, coisa que só teve coragem de contar para a irmã.

"Foi muito impactante eu ter visto meu corpo, como se eu não fizesse mais parte de nada disso. Tive medo de não voltar, Jaque", disse um Cadu envergonhado e humilde.

"Foi mais impactante ainda papai e mamãe terem visto você assim, Cadu. Eles tiveram muito mais medo de você não voltar. Ficaram apavorados... e eu também."

Aquelas palavras surtiam efeito, anestesiavam a dor interna de Cadu com uma combinação de ameaça e afeto. Levou muito tempo até ele se perceber querido. Foi preciso uma quase morte, ainda que temporária e induzida, para ele se dar conta disso.

O episódio daquela internação mudaria o relacionamento dos quatro, e, sobretudo, a disposição de Cadu em procurar ajuda. Não podia mais decepcionar os pais e a irmã, que ele tanto admirava. Precisava fazer valer aquele amor. Foi assim que finalmente topou marcar uma consulta com o psicólogo da PM, Alexandre, de quem a irmã havia falado tantas vezes em vão enquanto ele mentia sobre terapias e reuniões que nunca de fato abraçou, sobre empregos que conquistava e perdia. Jaqueline retomou o contato depois de muitas semanas de silêncio desde o primeiro encontro, para surpresa do colega, que, gentil, fez questão de dizer o quanto aquele telefonema o deixava feliz. Do outro lado da linha, a capitã enrubesceu.

Uma iniciativa Cadu tomou logo depois da primeira conversa com o psicólogo: matriculou-se na natação. Isso já deixou Jaqueline entusiasmada. Bronzeado pelo sol da manhã, ele tomou gosto e recuperou fôlego e coragem, nesta ordem. Dona Florinda se levantava bem antes dele para preparar uma vitamina. Com rituais de cuidado todas as manhãs, reescreviam os dois a história de uma infância interrompida. Cadu gostava muito daquilo, embora sentisse uma falta imensa da droga. Combinara com Alexandre que, caso ocorresse recaída, ele poderia telefonar.

Um dia de madrugada, Cadu acordou em pânico, dominado pela solidão de sua existência repercutindo em seu corpo na forma de fraqueza nas pernas e de taquicardia. Pensou que só a cocaína poderia ajudá-lo. Teve vergonha de telefonar de madrugada para Alexandre. Abriu o armário e resgatou, do fundo da gaveta, um papelote que escondera de si mesmo logo depois da internação, para uma emergência. Cheirou uma pequena quantidade e esperou o dia amanhecer para ir nadar animado e encharcado de culpa.

As consultas aconteciam duas vezes por semana a despeito da dificuldade de Carlos Eduardo falar de si mesmo. Jaqueline preferiu não o acompanhar para manter distância do problema, mas isso não evitou que ela se aproximasse de Alexandre. Aos trancos e barrancos, Cadu se manteve fiel às consultas, com a nítida impressão de não avançar, o que era mentira. Ainda que a contragosto, ele se abria e se percebia no silêncio e nas ausências, revelando, pouco a pouco, o quanto os laços familiares repletos de cuidado estavam lhe fazendo bem. Apenas por não se sentir mal dessa maneira silenciosa, disse Alexandre, ele poderia tentar o caminho da meditação. Por que não?

A vida prática, no entanto, exigia decisões rápidas, sobretudo de ordem financeira. Cadu precisava arrumar um emprego, qualquer um, o quanto antes, e permanecer nele. Andou a esmo alguns dias, procurou vaga nos classificados do jornal sem vontade de encontrar nada, até que, quase por acaso, soube de um projeto social que uma ONG realizava com crianças de rua no bairro vizinho. Tocou a campainha movido pela curiosidade e foi recebido por uma senhora, professora aposentada, responsável pela iniciativa.

"Sim, precisamos de ajuda e não temos muito para oferecer. Vamos conversar?"

Cadu começou a trabalhar como monitor de um grupo de adolescentes em atividades que misturavam brincadeiras e esporte. Não tinha carteira assinada. A ajuda de custo e uma ocupação lhe bastavam naquele momento. Logo descobriu que vários daqueles meninos e meninas já tinham experimentado drogas, o que serviu de incentivo para ele falar da própria experiência com a dirigente da ONG. Ouvindo Cadu romper a timidez, ela sugeriu que ele participasse das terapias de grupo que aconteciam ali nos fins de semana levando sua contribuição pessoal.

Sábado, Carlos Eduardo acordara nervoso. A ansiedade de dividir com desconhecidos emoções tão pessoais o desorganizava emocionalmente. Forçava um pouco sua barra, para falar a verdade. Tirava literalmente tudo do lugar. Ao mesmo tempo, oferecia um novo arranjo, dando um sentido para o que ele imaginava ter sido um desperdício de vida e tempo.

Fez a barba como um ritual de preparação, lavou o rosto e foi tomar café com os pais, mais atentos do que nunca a qualquer sinal estranho no filho. A professora aposentada o recebeu com um caloroso abraço e uma notícia surpreendente. O projeto conseguira um patrocínio e ele seria contratado. Parecia verdadeiramente feliz com a perspectiva de tê-lo por perto. Cadu nunca se sentiu tão necessário.

"Venha, que preciso te apresentar aos nossos outros monitores, jovens de todos os lugares do Rio que costumam aparecer para participar do projeto. Você vai gostar deles."

Levado pela mão, Cadu olhava ao redor sem se fixar em ninguém, ouvindo nomes, sorrindo a esmo e apertando mãos até que um rosto o detêve por um instante.

"Esta é Marina."

Eu sei, ele pensou, ainda mais bonita do que na época do banco. E sorriu. O sorriso dela demorou mais a aparecer, confusa, sem graça diante dele.

"Então é aqui que você vem se esconder?", ele perguntou, amável, modificado, dando a senha de que ela precisava para reagir.

"Pelo visto, você também, porque quem sumiu não fui eu…"

"Deve ser um bom sinal nós dois estarmos nos escondendo aqui", disse Cadu.

"Sem dúvida, uma feliz coincidência."

Assim, numa manhã de sábado, Marina soube o que tinha acontecido com Cadu depois do rompimento. Ouviu detalhes de uma viagem que comprometera sonhos, amores, trabalho e saúde. Ao se revelar, Cadu exibia a própria fragilidade e se sentia mais forte. De forma inesperada, fez a plateia gargalhar ao contar das paranoias de perseguição com um toque de humor involuntário.

"Não era confortável eu achar que a polícia estava atrás de mim. Não só porque eu via sirenes em toda luz vermelha na rua. Mas porque minha irmã é policial!"

Marina riu alto. Estavam todos dispostos a construir pontes entre os extremos da humanidade, mostrar que há resistência na vulnerabilidade e que é possível dar sentido à vida sem esquecer as lições deixadas por decisões equivocadas.

Marina continuava intrigada na plateia. Cadu, bronzeado, estava até mais bonito e parecia uma pessoa equilibrada. No intervalo, ela deu um jeito de chegar perto. Cadu viu o rosto da menina desafiadora, atraente, olhando para dentro dele. Uma onda de timidez atingiu os dois.

"Eu gostei."

"Sério?"

"Sério mesmo. Eu me senti muito tempo culpada por ter te apresentado à…"

"Você poderia adivinhar o que eu ia fazer com aquilo? Acho que eu já era bem grandinho, não? Inclusive, maior do que você."

"Ok, não cresci muito mesmo."

Riram sem desviar o olhar. A professora ia se aproximar de Cadu mas tomou um atalho para o café. Não quis interromper.

"É que eu não tinha ideia… Foi difícil entender por que aquilo tinha acontecido contigo. E depois você se afastou de todo mundo."

"Realmente, essa parte não valeu a pena."

Surpreendida pela rápida confissão de arrependimento, Marina não perdeu a chance.

"Teve alguma parte que valeu?"

"Não esqueci tudo que fiz doidão."

A provocação mútua e bem-humorada seguiu até outras pessoas se juntarem à roda.

JAQUELINE E CARLOS EDUARDO

Naquele domingo, dona Florinda tinha preparado sua especialidade: frango com creme de cebola ao forno com batatas. Seu Antonio comprou mate e cerveja para o brinde. Não era sempre que eles recebiam filhos, nora, genro e neto para almoçar. A ocasião especial destinava-se a celebrar a promoção de Jaqueline a major e o casamento marcado de Cadu e Marina.

Breno não parava de falar da excursão que faria com a escola. Ia dormir fora três dias.

"Só eu e meus amigos no quarto."

"Não precisa ficar me lembrando disso toda hora, Breno, que saco!", reclamou Jaqueline, fingindo mau humor.

"Dê mais tempo para a sua mãe digerir essa notícia, rapazinho. Você precisa ter mais psicologia para tratar certos temas", pediu Alexandre, antes de beijar Jaqueline na bochecha e piscar para o enteado.

"Nesse quesito, até que ele arrumou um ótimo instrutor, né?", rebateu Jaqueline. "Eu já falei para você parar com essa doutrinação do menino", disse, se fingindo de brava.

"Agradeça, porque você arrumou um padrasto pro Breno e um analista pra família toda", respondeu Cadu.

"Breno, bota um pouco esse iPad de lado, filho...", pediu Jaqueline, em vão, porque o menino continuava falando e jogando ao mesmo tempo.

Marina conversava com dona Florinda sobre detalhes da festa, dizendo que nem adiantava Cadu insistir porque ele não ia ver nem sombra do vestido antes do dia, onde já se viu.

"Ela fica falando na minha frente e não quer a minha opinião. Por que faz isso, então?"

"Para aumentar sua curiosidade, tem que manter o cara ali assim, do lado, entendeu? Técnica feminina avançada de dominação", disse Jaqueline.

"Tá sabendo disso?", perguntou Cadu para Alexandre, que encolheu os ombros em resposta, sinalizando que não podia fazer nada.

"Você tem que aprender a se controlar, tá muito ansioso", disse Marina, debochada.

"Estou me controlando e esperando por esse dia há três anos, desde que reencontrei você, e você ainda não percebeu..."

Foi então que Breno parou de jogar e entrou na conversa com um "ihhhhh... ihhhh...", que fez todo mundo rir.

"Viu só como ele continua ligado mesmo vidrado no videogame?", comentou provocador Alexandre para Jaqueline.

"Um fenômeno, sem dúvida", respondeu a mãe, ligeiramente irritada.

"Eu vou levar mesmo as alianças, tia Marina?"

"Claro, Breno. Você será muito importante no dia."

"Irado."

A felicidade de Breno emocionava Jaqueline.

"As crianças se refazem...", pensava, num momento solitário de introspecção.

"Estamos todos muito calmos e controlados", disse Marina, provocando uma gargalhada geral.

Antes da comida, os copos se encheram, alguns olhares também. Jaqueline e Alexandre pediram discurso, logo seguidos por Breno, que puxou o "com quem será". Cadu bateu o garfo na tulipa, pigarreou até as conversas paralelas cessarem. Olhou para Marina, Jaqueline e Florinda, disse que devia muito às mulheres de sua vida.

"Porque, sem elas, eu seria apenas um homem perdido. Foram elas que me estenderam a mão e me ofereceram amor quando eu não tinha nada para dar em troca. Porque hoje a gente também está comemorando a minha reconstrução, uma obra que ainda não acabou! Eu preciso dizer obrigado. Amo vocês três."

Os copos se esvaziaram, olhos lacrimejaram enquanto a casa se animava com alegrias e implicâncias, broncas e elogios. Várias tristezas ficavam para trás soterradas por crescimento e lições. Da criança ao velho, todos pareciam mais fortes, reconstruídos depois do vendaval. Seu Antonio, que a tudo observava sem dizer muito, sentiu que dentro do peito um buraco se fechava e respirou aliviado sabendo que a partir de agora é que não precisava falar mais nada mesmo. O barulho da vida lhe parecia o bastante.

2
UM LABIRINTO
COM MUITAS SAÍDAS

DANIEL

Era madrugada quando um grupo de dez homens encapuzados, alguns trajando uniformes camuflados e botas pretas, rendeu um soldado que voltava da rua sozinho e cercou a delegacia de Letícia. Eles pretendiam usar o militar para resgatar um adolescente preso a quem provavelmente iriam matar. Houve troca de tiros. O refém acabou ferido e morreu horas depois no hospital. O grupo fugiu.

Na pequena cela onde dormia, Daniel acordou de sobressalto com os tiros e se jogou embaixo do beliche. De sua testa, brotava suor. Com o rosto colado no chão de cimento, ouviu alguém gritar seu nome. Não conseguiu reconhecer a voz. "Vieram me buscar", pensou. "Vou morrer." Mais uma vez, Daniel sobreviveu. Foi ele mesmo quem me contou essa e outras histórias durante nossos encontros.

Eu estava preparando um documentário que me levaria à Colômbia, onde conheci esse rapaz, preso em 2006, como desertor das Farc. Após averiguações, decidi ir até Letícia e Tabatinga, cidades siamesas onde o tráfico de drogas ignora a fronteira entre Brasil e Colômbia.

Um defensor público me apresentou a Daniel. Trabalhava para transferi-lo para Bogotá, sob a alegação de que as Farc poderiam matá-lo. A tentativa de invadirem a delegacia acabou facilitando a transferência. Os policiais mantinham Daniel preso para esclarecimentos em investigações sobre o mercado ilegal da cocaína. Para o defensor, eu, como cineasta brasileira, poderia dar repercussão internacional ao caso. Ainda que eu não fosse famosa nem tivesse chegado lá com essa intenção, me encaixei nas credenciais necessárias e acabei servindo também para desenrolar o caso.

Desconfiado, Daniel concordou em falar comigo, afinal, não queria morrer naquele fim de mundo sem que ninguém soubesse. Em nossa longa entrevista, ele me contou um pouco sobre a infância pobre com a família, e quase nada a respeito dos anos na selva. Um véu de esquecimento e medo mantinha o assunto distante de sua fala. Daniel não defendia ideologias. Depois juntei as peças. Ele tinha entrado muito novo para a guerrilha, entregue pela família. Foi treinado e doutrinado, só não internalizou as crenças políticas, como tantos outros. Sua maior preocupação era cumprir as missões para não ser castigado. Como uma criança obediente, não enfrentou seus algozes e se desiludiu com as mentiras para, aos dezessete anos, descobrir que desejava restaurar a lógica perdida de sua existência. Fugiu.

Não existem números oficiais sobre a participação de crianças e adolescentes nas fileiras das guerrilhas colombianas. Desde o início do século XXI, no entanto, 6 mil se desvincularam desses grupos armados, retornando à vida civil, assim como Daniel.[1] Durante as negociações do processo de paz entre o governo colombiano e as Farc, esse grupo se comprometeu, em fevereiro de 2016, uma vez mais, a não recrutar menores de dezoito anos – um passo importante para a libertação de todas as crianças e de todos os adolescentes envolvidos nessa luta que já matou pelo menos 220 mil pessoas em pouco mais de cinquenta anos.[2] O Ministério Público da Colômbia estima que, entre 1975 e 2014, mais de 11.500 menores foram recrutados à força pelas Farc,[3] ato considerado crime de guerra. Essa cifra de crianças-soldado pode ser muito maior, especialmente quando consideramos a participação de crianças e adolescentes em outros grupos envolvidos no conflito, como os paramilitares.

No final dos anos 1990, o narcotráfico se transformou na principal fonte de financiamento das Farc, tendência que seguiu se fortalecendo nos anos 2000, justo o período da chegada de Daniel. Naquela época, com mais dinheiro, a guerrilha investiu em armas e recrutamento. Uma leva de crimes bárbaros voltou a assustar a população e só não superou a matança deflagrada pela busca e assassinato do barão da cocaína Pablo Escobar em 1993, em Medellín.[4] Naquele ano, a taxa de homicídios na cidade chegou a 420 em 100 mil habitantes, transformando-a na mais violenta do mundo por alguns anos.[5]

Em reação à escalada da violência, no final de 1999 surge o Plano Colômbia, como ficou conhecida a série de medidas apoiadas pelos Estados Unidos com o objetivo de minar o controle territorial de grupos armados, enfrentar o narcotráfico, erradicar os cultivos de coca e oferecer alternativas econômicas aos produtores rurais colombianos. O investimento social, fundamental para reduzir a vulnerabilidade de famílias como a de Daniel, acabou não sendo priorizado. Nos dois primeiros anos do plano, 75% dos recursos foram destinados às forças de segurança colombianas e à erradicação de plantios de folhas de coca.[6] A Colômbia possui um Exército bem-equipado, uma força policial moderna, mas os resultados esperados não foram alcançados. Muitos dos cultivos erradicados acabaram transferidos para os países vizinhos, um movimento silencioso do qual só me dei conta depois que mergulhei no assunto.

A redução do cultivo em um país é compensada por mais plantações em outras áreas. Com isso, a área total dedicada ao plantio continua praticamente igual. Mesmo dentro da Colômbia, a planta reaparece semeada em veredas antes inexploradas, em áreas de difícil acesso, complicando ainda mais a intervenção das autoridades. Como um nômade, o cultivo da coca migra para escapar da repressão.

O Plano Colômbia foi a versão colombiana da guerra às drogas, oficialmente declarada em 1971 pelo presidente americano Richard Nixon com uma ampla campanha militar para zerar a oferta de drogas global. As intenções podiam até ser boas, mas partiam de premissas e estratégias equivocadas. A ideia inicial era combater a oferta reprimindo o cultivo, a venda e o consumo de drogas. Imaginava-se que, com menos oferta, o preço das drogas subiria a ponto de inviabilizar o negócio. Isso não ocorreu. As drogas estão cada vez mais baratas. A guerra às drogas ainda gera consequências indesejáveis até os dias de hoje: a escalada da violência e dos homicídios – sobretudo na América Latina –, o aumento da corrupção, de violações de direitos humanos e da população carcerária mundo afora. O Plano Colômbia conseguiu reduzir a área plantada com coca naquele país. Não fez o mesmo pela oferta total de cocaína. Fui me convencendo de que erradicar as drogas do planeta é uma utopia.

Viajei pela Colômbia – depois de difíceis e longas negociações – e conheci lugares miseráveis, onde plantadores de coca sobreviviam com menos de dois dólares por dia, abaixo da linha de pobreza extrema do Banco Mundial. Essa realidade desmontou a ideia que eu trouxera ao chegar ao país de que o plantio de coca interessava mais às famílias pelos ganhos maiores. Nem sempre. Não em todo lugar. Muitas vezes é por falta de opção ou por imposição dos grupos armados. Ouvi de líderes de associações histórias sobre produtores assassinados por terem defendido cultivos legais como alternativas para o plantio da folha de coca, uma realidade bastante complexa de se lidar.

Por causa da cocaína, a folha de coca também ficou proibida pelas convenções internacionais, afetando a fonte de sustento de *cocaleros* andinos que há séculos usam e produzem derivados, como o chá de folha de coca. A bebida não causa dependência nem produz efeitos alucinógenos. É tomada como revigorante e ajuda a enfrentar tonturas provocadas pelas altitudes da região. A lei mira um alvo e acerta vários.

Em algumas cidades, a ausência do Estado era tão profunda que nem sequer encontrei dinheiro em circulação. Comunidades praticavam o escambo e, não raro, a moeda em vigor eram os subprodutos da folha de coca.[7] Vastas áreas rurais abandonadas à própria sorte sustentam a cadeia de produção do narcotráfico no país que é um dos maiores produtores mundiais de cocaína, posto que alterna com o vizinho Peru.[8] Milhares de famílias se converteram em peças-chave – e ao mesmo tempo descartáveis – de um próspero negócio ilegal. No entanto há esperança. Alternativas economicamente viáveis para os plantadores de folha de coca são uma das prioridades do acordo de paz.

Fiz vários esforços para localizar a família de Daniel. Em vão. Não havia registros oficiais, dicas, nenhuma pista útil. Essa investigação me permitiu conhecer de perto a realidade dos desalojados, o maior contingente de deslocados internos registrado no mundo. Soube tempos depois que Daniel tinha saído de Letícia e sido levado para Bogotá, a capital. Encaixava-se no perfil dos candidatos a programas para reinserção social de ex-combatentes. Além de ter se entregado, contava a seu favor a ausência de acusações de homicídio e tortura. Não estou tão certa de que Daniel tenha passado ileso pela espiral de crimes cometidos pela guerrilha. Em nenhum momento assumiu ter matado. Mas sua trajetória dentro e fora da guerrilha revela como oportunidades, laços sociais e afeto podem ser a salvação em meio a uma trágica guerra civil.

Desde que saiu das Farc, viveu em um estabelecimento de passagem lotado de crianças e adolescentes resgatados dos grupos armados. Depois de três meses, foi acolhido num lar para ex-combatentes menores de idade nos arredores de Bogotá. Numa construção que, de fora, lembrava o lar de qualquer família colombiana, Daniel dividia o quarto com outros quatro garotos. Frequentou escola, recebeu treinamentos e assistência psicológica. Viveu num abrigo coordenado por um psicólogo, e não por guardas. Quintal e até animais de estimação ajudavam a criar o ambiente em que ele passaria um período decisivo de sua vida e que seria um divisor de águas.

Reabilitar crianças egressas de conflitos armados é uma recomendação das Nações Unidas. O programa de reinserção colombiano data do final dos anos 1990, período em que a comunidade internacional cobrava providências dos países onde abusos vinham sendo cometidos contra menores de idade em conflitos armados. Naquela época, o governo colombiano assinou uma declaração sobre sua intenção de resgatá-las do destrutivo efeito da guerra, o que resultou na devolução voluntária de centenas de recrutados pela guerrilha.[9]

Em 2000, o programa ganhou fôlego com a deserção de mais de quatrocentas crianças.[10] De acordo com a organização Human Rights Watch, que entrevistou pequenos combatentes, não era raro um recruta mirim ser obrigado a testemunhar uma sessão de tortura e perpetrar, ele mesmo, um ato cruel, embora eles resistam a admitir isso.[11] A reabilitação parte da premissa de que eles não são criminosos e merecem ser tratados com dignidade e ter uma segunda chance.

Voltei à Colômbia muitas vezes desde que conheci Daniel. Uma das viagens coincidiria com a saída dele do programa de reintegração. Eu queria checar o sucesso da estrutura que o cercou. Talvez o mais decisivo dos fatores, e também o mais inesperado, tenha sido a paixão por uma menina no abrigo, com quem Daniel veio a se casar. O passado em comum facilitou a aproximação de Daniel com a família da moça, uma adolescente rebelde que fugira de casa por questões ideológicas e logo se arrependera ao ver que seus líderes eram muito pouco fiéis aos princípios que pregavam.

Anos depois, reencontrei Daniel mais uma vez, ele parecia feliz e um tanto orgulhoso da própria história. Trabalhava como cabeleireiro num salão em Bogotá. Já não estava tão magro, usava o cabelo bem rente nas laterais e um cavanhaque, o que lhe dera um ar moderno e mais amadurecido. Quando cheguei, foi logo perguntando pelo filme. Precisei explicar que ainda não estava pronto. O menino sério tinha desaparecido. O homem na minha frente de uniforme preto fez piada com a demora do projeto.

"Será un épico, por supuesto!"

Nas conversas, ele contou com requintes de aventura episódios vividos na selva, longas viagens em canoas por igarapés cobertos de vegetação na Amazônia, o medo de água fria e sua fuga da guerrilha sob uma chuva torrencial. Surgiram detalhes antes omitidos. Já não temia a repercussão de admitir que seu ato derradeiro como fora da lei tinha sido entregar uma mala de drogas a uma brasileira, embora tenha enfrentado situações difíceis com clientes do salão que, ao saberem de seu passado guerrilheiro, se recusaram a ser atendidos por ele. Eram pessoas que haviam sofrido com o conflito armado, em quem a dor e o desejo de vingança continuavam vivas.

"Chegaram a pedir que eu me desculpasse… Ora… Mas não fiz nada contra aquelas pessoas…", disse, num momento em que me pareceu incapaz de enxergar as outras vítimas de uma batalha que poderia tê-lo matado. Daniel reescrevia seu destino enquanto se tornava um especialista em cuidar da beleza das pessoas. Eu testemunhava um enredo que corria livre como um rio margeado por dificuldades. Com as oportunidades e os apoios certos, pessoas como Daniel estão renascendo. Os caminhos que funcionam resultam de um plano bem-pensado, despido de preconceitos e repleto de cuidado, de educação formal e emocional, e não só de sorte.

Após se casar com a namorada que conheceu no abrigo, Daniel reencontrou três irmãos e Angelica, a amiga da guerrilha. Esse pequeno círculo restaurara o sentido de família, apesar de os pais terem morrido antes de Daniel revê-los – episódio que ele contou sem expressar dor aparente. Mas Daniel sorriu ao me dizer que sua filha estava com quatro anos e fora batizada de Esperanza.

IRINA

Mesmo maltratada, Irina continuava bonita. A principal diferença entre a mulher na minha frente e a da fotografia tirada dois anos antes – que, com orgulho indisfarçável, ela me mostrou – não era o cabelo oleoso e sem corte, nem o rosto agora manchado, mas os olhos castanhos esverdeados. Estavam opacos e suplicantes. Talvez pela parca iluminação da sala que me arranjaram no subsolo do presídio para entrevistá-la. A filmagem ia ficar uma porcaria. Como o tom daquele olhar parecia ainda mais triste, usei a penumbra em favor de uma imagem repleta de significados para meu filme.

"Por que você quer falar comigo?", ela começou.

"Eu pedi para entrevistar algumas detentas para o meu documentário sobre drogas e queria alguém que tivesse filhos."

Ela fez silêncio, olhou para baixo e voltou a me encarar.

"Tenho sorte. Tem hora que a gente só precisa mesmo falar com alguém e aí chega você para me escutar..."

Eu não imaginei estar ajudando, esquecendo que seres humanos são animais falantes. Precisam falar.

"O problema é que não tenho mais filhos. Eu só pari. Você não sabe?"

Franzi o cenho esperando que ela completasse o pensamento.

"O último foi embora há três meses. Quando eu sair daqui, sei lá quando e como, você acha que ele me aceita? Nem vai me reconhecer. E os outros? Nem me despedi deles direito. Disse que ia ali e nunca mais voltei. Criança guarda essas coisas, não esquece, não."

Irina sabia das atividades ilegais do marido, preso por tráfico, participação em quadrilha e acusado de homicídio. Ela foi sendo incluída no negócio pouco a pouco, meio sem perceber, alegou, porque nunca se envolveu diretamente com o movimento. Então começou a passar recados, a anotar quem pagou e quem devia. Em pouco tempo, virou a contadora extraoficial da boca. Armada com caneta, tinha um papel no tráfico e não se dera conta de que produzira provas suficientes para a polícia prendê-la. Só que a vida seguia boa, mesmo na luta, na lida diária de casa e filhos. A lista do tráfico muitas vezes dormia ao lado da lista de compras e, não raro, seguia por engano na bolsa em direção ao mercado.

Veio a primeira viagem, quase uma aventura. Essa sim uma missão perigosa, tremenda responsabilidade, Irina me contava. Como correu tudo bem e entrou muito dinheiro, bastou Neco ser preso e as dificuldades voltarem para eles esquecerem os riscos e a promessa de que a primeira viagem de Irina deveria também ter sido a última. Com o marido preso de uma hora para outra, Irina fora convertida na provedora do lar e não sabia que rumo tomar.

"Neco é o tipo de homem decidido, decidia por mim também, carinhoso, mas não sabia fazer nada para nos sustentar, só aquilo mesmo. Não sei se ele era violento por aí, comigo nunca foi. Era bom pai também", disse. "Generoso, sabe?"

Sem a generosidade do marido, ela precisou arrumar dinheiro para sustentar os filhos, e a única opção à mão, contou, era levar as malas.

"Você sabia o que tinha nas malas? Sabia dos riscos que corria?", perguntei, ainda desinformada sobre a história completa.

Em vez de responder, ela me devolveu perguntas.

"Você acha que uma pessoa como eu pode ganhar 30 mil reais assim de repente? Nem se eu me prostituir. Você faz as contas e esquece que pode dar tudo errado. É sustento para uns dez meses."

Irina estava carregada com o ceticismo de quem tinha sido condenada a mais de sete anos de prisão por tráfico internacional, e não pela listinha dos devedores de droga em cima da geladeira.

"Que tipo de mãe você é?"

A pergunta soou mal até para mim e tentei me explicar melhor.

"Quero saber como você lidava com suas crianças em casa, só isso, se era brava, se tinha alguma ajuda, se é o tipo que agarra demais...", disse, com um sorriso de descontração.

"Eu sempre sonhei em ter a minha família, sabe, casa, marido, filhos... mas não sei se era boa mãe. Tem que perguntar pra eles. Quando eu tentava dar uns tapas, eles corriam de mim", disse ela, guardando o que arrisco chamar de emoção em lugar inacessível nas feições embrutecidas. "Eu brigo muito, viu...", disse, como se falasse sozinha. "Sou muito exigente. Mas agarrava um bocado."

Com bom comportamento na prisão, Irina esperava cumprir dois terços da pena e sair para reaver os filhos, que a visitavam cada vez menos levados por assistentes sociais. Ficaram meses sem se ver enquanto ela aguardava transferência do Amazonas, onde fora presa em flagrante. Uma fase complicada.

"Minha agonia era não saber o que tinha acontecido com eles. Quando falei com a vizinha, ela me contou que as crianças estavam num abrigo, assim já como quem não tem mais nada a ver com a minha história porque depois que você vai presa...", disse, parando no meio da frase como se tivesse esquecido o resto. "Já pensou você não saber quem está tomando conta dos seus meninos, que raio de abrigo é esse? E se for parecido com essa merda aqui?", disse, abrindo os braços, tentando abarcar todo o presídio.

Irina não falava com os pais havia anos. A relação quase inexistente antes da prisão se esgarçou de vez depois. Não quiseram tomar conta dos netos gerados por uma filha traficante. Daria muito trabalho. Não havia dinheiro suficiente. Não tinham idade para isso. Nem queriam ser revistados na porta de uma penitenciária, humilhação demais. Tudo conspirou contra essa reunião, tanto que ela jamais aconteceu.

"Os pobrezinhos tinham nada a ver com isso, não, aí ficaram largados no abrigo", ela disse, mostrando rancor com a atitude dos pais em relação aos netos.

Houve uma explosão no número de pessoas presas por drogas em todo o mundo. No Brasil, foi ainda pior. Desde dezembro de 2006, quando entrou em vigor uma nova lei que deveria ter melhorado a situação, o cenário agravou-se. A população carcerária brasileira aumentou 43,07%, o que coloca o país no quarto lugar mundial nessa competição pouco honrosa, com 622.202 detentos (estatística de dezembro de 2014). A lei que prevê penas alternativas à prisão para posse de drogas não conseguiu evitar que o número de presos por tráfico nesse mesmo período subisse 132,34%. Dados oficiais mostram que 28% dos presos homens e 68% das presas mulheres respondem por esse tipo de delito. Para completar, o déficit de vagas ultrapassa os 250 mil, o que provoca uma superlotação explosiva em muitos presídios. A taxa de homicídios dentro das cadeias brasileiras chega a 150 por 100 mil presos – cinco vezes a média nacional, um índice de guerra. Esses números compõem o caótico retrato do sistema prisional brasileiro.

A maioria das pessoas presas por tráfico de drogas no Brasil são rés primárias. Carregavam consigo pequenas quantidades de substância ilícita e acabaram flagradas em operações de policiamento de rotina, desarmadas e sem provas de envolvimento com o crime organizado. Além disso, do total das pessoas encarceradas, 40% ainda aguardam julgamento – esse indicador não inclui pessoas sob a custódia da polícia, em delegacias. São presos provisórios. Estima-se que mais da metade poderia responder ao processo em liberdade. A aplicação de penas, de acordo com o direito internacional, deve ser proporcional à gravidade do delito cometido, mas para crimes relacionados a drogas quase nunca o são. E isso é um problema mundial.

Os Estados Unidos, por exemplo, graças a guerra às drogas dentro de suas fronteiras, lideram o ranking mundial de presos, com quase 25% dos mais de 9 milhões de encarcerados no mundo.[12] Nas prisões federais, metade dos internos enfrenta acusações de crimes relacionados a drogas. Essa estrutura custa, por ano, algo entre US$ 12 bilhões e US$ 15 bilhões, uma verdadeira fortuna questionada cada vez mais pelos contribuintes americanos. Os custos sociais e financeiros de manter uma enorme massa de encarcerados não são devidamente colocados na conta da repressão. Há alternativas mais justas e eficazes com resultados melhores para a sociedade.

Os efeitos colaterais desse exagero chegam às famílias e às comunidades às quais os presos pertencem. Uma pesquisa revelou que mais de 5 milhões de crianças americanas vivem o drama de ter pai ou mãe presos. O número de crianças desfalcadas de um responsável aumentou 500% em quatro décadas no rastro das políticas mais rígidas de prisão por tráfico e uso de drogas nos Estados Unidos.[13] Esses meninos e meninas são os principais prejudicados pelas leis sem gradação para os crimes de seus pais. Estão mais sujeitos a dificuldades financeiras, ao uso abusivo de drogas, a problemas de saúde, a redução de expectativa de vida e a taxas de mortalidade mais elevadas.[14] Cerca de 65% das famílias com um integrante preso não dão conta das necessidades básicas.[15]

Crianças nessa situação se mudam com mais frequência, correm mais risco de perder o lar. Essa instabilidade prejudica as relações familiares e de amizade que poderiam compor o suporte necessário para um momento tão delicado. O desamparo é crescente.

Dados oficiais mostram que 60% das mulheres presas são mães. Não chega a ser uma surpresa o fato de essas mulheres encarceradas sofrerem de doenças mentais como depressão e ansiedade numa proporção maior que a dos homens. Nem nos Estados Unidos elas têm acesso a tratamentos adequados de saúde dentro do sistema prisional.[16] A repercussão desse drama piora todas as consequências.

Ainda que seja minoria nos presídios mundo afora, a população feminina encarcerada cresce num ritmo mais acelerado do que a masculina, uma preocupação a mais para reformas prisionais. Mulheres são mais alvo de violência e de abuso. Diversas pesquisas mostram que essas detenções não aumentam o nível de segurança pública e ainda representam um custo social importante. Enquanto o número de presos no planeta aumentou em 20% desde o ano 2000, o de mulheres cresceu 50%.[17]

No Brasil, país onde as mulheres se destacam cada vez mais como as principais provedoras das famílias, a população carcerária feminina aumentou mais de 500% entre os anos 2000 e 2014. Quase 70% estão atrás das grades por tráfico, sendo que a maioria foi flagrada com pequenas quantidades de drogas, sem armas, e poderia estar cumprindo penas alternativas ao encarceramento. Até encontrar Irina, eu nunca tinha pensado em quantos lares já considerados desestruturados ruíram por completo depois dessas prisões.

Mulheres presas em geral cederam a conhecidos, amigos e estranhos que, cientes da urgência de suas necessidades, oferecem uma solução mágica à qual se agarram. Algumas não fazem ideia do que transportam, outras assumem o risco, como Irina. Sem mencionar as usuárias problemáticas de drogas que vislumbram no transporte uma oportunidade de sanar dívidas impagáveis. Sem ter a quem recorrer, entram de cabeça em situações sem volta, sujeitas até à pena de morte em 33 países onde a punição por tráfico internacional chega a esse extremo, como nas Filipinas e na Indonésia.

Entre a prisão preventiva e a definitiva, Irina tinha cumprido cerca de um ano e meio. Faltava quase o mesmo para tentar o regime semiaberto, ela me informou, sem nenhuma animação.

"Contar o tempo ajuda ou aumenta a angústia?"

Ela encolheu os ombros magros.

"Cada dia aqui dentro suga um pouco de mim."

Eu estava diante de uma mulher que jamais encontrara antes e podia jurar que nem ela se reconheceria caso topasse consigo mesma na rua. A vida confortável para os padrões da comunidade onde morava ficara para trás com todas as suas possibilidades. Não estudava, não lia, não trabalhava. Esperava o tempo passar.

"Você acha que quando eu sair daqui alguém vai me dar emprego? Minha ficha tá mais suja do que fralda dormida."

"Existem programas voltados para pessoas que passaram pela cadeia, outros de microcrédito. Você…"

Ela bufou e revirou os olhos.

"Fala sério… Minha vida acabou naquele barco, no meio da floresta… Antes eu tivesse me afogado. Perdi tudo e me tornei uma inútil. Nem para criar meus filhos eu sirvo. Foi o juiz que disse."

"Por que você acha que ele disse isso?"

Antes de responder, Irina encarou pela primeira vez minha câmera. Parecia tentar adivinhar quem assistiria ao seu depoimento. Logo desistiu.

"Queria que me arrependesse, eu acho."

"E você se arrependeu?"

"Se eu lembrar que deixei meus filhos sem mãe..."

Perguntei se ela usava drogas e soube que, antes da prisão, esporadicamente. Cheirou cocaína umas três vezes, disse, e agora fumava baseado para ficar tranquila.

"Droga entra aqui?", perguntei, jogando uma isca para ver se recebia uma resposta detalhada.

"E tem lugar onde não entra?"

O Código do Processo Penal brasileiro foi alterado em 2016 e passou a incluir a possibilidade de gestantes, mulheres com filhos menores de doze anos incompletos e até homens com filhos dessa idade – se forem os únicos responsáveis por eles – terem a prisão preventiva convertida em domiciliar. Não é algo que o juiz conceda automaticamente. Ele terá que avaliar os pedidos um a um. Sabemos que muitos juízes e promotores resistem em distinguir pessoas por grau de responsabilidade e de violência na cadeia do crime organizado quando se trata de tráfico de drogas.

O Supremo Tribunal Federal, no entanto, determinou num caso, no início de fevereiro de 2016, que uma mulher grávida de sete meses, acusada de integrar quadrilha de tráfico de drogas, cumprisse a prisão preventiva em casa. Tanto os ministros da Suprema Corte como a Procuradoria Geral da República reconheceram na decisão que é público e notório o despreparo dos presídios brasileiros para receber grávidas e que é dever do Estado proteger a criança.

Muito antes das mudanças chegarem à lei, Irina vivia na pele a rigidez do sistema. Com gestação avançada, ela chegara ao presídio no Rio de Janeiro com alas especiais para grávidas quando só então fez seu segundo e último pré-natal. Por sorte, o bebê – um menino – nasceu perfeito. O parto foi normal e rápido, realizado num hospital público, para o qual foi levada de ambulância e algemada enquanto tinha contrações. Ouvi de uma das enfermeiras que as algemas tinham sido uma medida de segurança porque "a parturiente gritava e poderia se tornar violenta no auge do trabalho de parto". Apesar do depoimento de Irina, e da inacreditável confissão da equipe de enfermagem, a direção do presídio negou que isso tivesse acontecido.

No Rio de Janeiro, somente no início de 2016 o governo do estado sancionou a lei que proíbe o uso de algemas ou qualquer outro tipo de contenção física em mulheres em trabalho de parto, salvo em situações médicas extremas. Essa decisão foi tomada pouco depois de uma presa, esquizofrênica e dependente de crack, ter dado à luz sozinha numa solitária, conforme denunciado pelos jornais.[18]

Irina só foi julgada depois que o filho nasceu. Até um pouco depois do parto, ela foi mantida como milhares de outros presos provisórios no país. Quando o bebê completou seis meses, veio a notícia de que o menino seria levado para um abrigo. Apesar de a lei garantir que mulheres presas têm o direito de ficar com os filhos até que completem sete anos de vida se não houver nenhum parente que fique com a guarda, o juiz da Vara da Infância decidiu que o melhor seria a criança viver num abrigo até que Irina pudesse buscá-la, confirmando a tese que se aplica à maioria dos casos. Por falta de estrutura adequada, bebês nascidos em penitenciárias ficam no máximo seis meses com a mãe.

É possível fazer diferente. O sistema prisional alemão possui presídios com alas inteiras dedicadas a mães. Apesar da alta demanda por vagas, o estabelecimento oferece celas que lembram quartos, onde as mulheres podem viver com seus filhos até que completem três anos de idade.[19] Funcionárias da creche prisional levam as crianças para passear e oferecem outras experiências fora das grades. O sistema, mais humanizado, também enfrenta seus próprios dilemas devido ao sofrimento posterior gerado pela separação entre mães e crianças. Simples nunca será.

A separação de Irina não foi nada fácil. Outras detentas contaram que Irina amanhecera agarrada com o filho quando os agentes chegaram para pegá-lo. "O menino era risonho, todo mundo gostava de fazer gracinha para ele rir", disse uma presa. Irina deitou no chão com o neném no colo e ameaçou se matar mordendo os pulsos, transtornada. O bebê chorava em desespero. Contida pelas guardas, foi transferida para receber tratamento psicológico. Voltou de lá "calminha", transformada na pessoa que conheci pouco tempo depois.

"Eu ainda tinha leite quando levaram meu bebê. Eu sempre tive muito leite. É de família", ela disse, revelando aos poucos traços do que me parecia ser uma depressão. Irina não esboçava emoções.

"E Neco, vem te visitar?"

"Tá preso ainda."

"Há quanto tempo vocês não se veem?"

Ela encolheu os ombros como se não soubesse.

O tratamento muitas vezes desumano reservado a presas grávidas é parte de um enredo com impactos para todo lado. Até 1937, todas as cadeias do Brasil eram mistas, lugares onde estupro, prostituição e outros crimes ocorriam protegidos pelo isolamento das muralhas. O primeiro estabelecimento feminino foi criado por freiras no Rio Grande do Sul. O lugar se tornou um depósito de criminosas, prostitutas, moradoras de rua e mulheres "desajustadas".[20] Até 2011, o estado pioneiro na iniciativa de separar homens e mulheres no cárcere contava com uma única unidade materno-infantil. Dos 1.500 presídios do país, apenas 75 possuem creches.[21]

Celas mofadas e malcheirosas, corredores escuros e úmidos não são ambientes para crianças partilharem com adultos, mesmo que sejam suas mães. Como está hoje, o sistema prisional brasileiro não oferece condições de vida digna para crianças nascidas em custódia – nem para ninguém.

Quando uma mulher é presa, condenada por crime sem relação com o exercício da maternidade, ela não perde a guarda dos filhos. Essas crianças não podem ser adotadas. Ficam sob a custódia de abrigos públicos caso nenhum parente as tenha acolhido. É o que acontece também com os filhos de mulheres presas por tráfico de drogas. São situações muito delicadas.

A defensora pública encarregada do processo de Irina estava recorrendo ao Tribunal de Justiça. Pretendia reduzir a pena, alegando que ela tinha bons antecedentes, era ré primária e poderia ser enquadrada no crime de tráfico privilegiado, que prevê penas menores ou alternativas, dependendo da visão dos desembargadores que julgarem o caso. Como a própria Irina tinha dito, o envolvimento dela com a organização criminosa do marido não passou batido pela acusação. Faltaram, no entanto, provas. Irina deu um depoimento confuso: confessou e voltou atrás. A advogada me entregou uma cópia da primeira sentença, que li saltando parágrafos à procura de uma explicação rápida para tudo aquilo.

"A materialidade delitiva foi devidamente comprovada pelo Auto de Prisão em Flagrante e do Laudo de Exame de Droga, no qual os peritos reconhecem a substância arrecadada como cloridrato de cocaína. De igual maneira, restou cabalmente demonstrada a autoria, à luz da prova oral produzida…"

Irina carregava mesmo cocaína. Em outro trecho da sentença, descobri as circunstâncias da prisão.

EDUARDO SOUZA CASTANHO – Soldado que efetuou a captura da ré, em juízo, confirmando o que já dissera na fase inicial do inquérito afirmou que "…participou da prisão em flagrante, reconheceu a acusada e declarou que integra o Pelotão de Fuzileiros da Selva, que realiza patrulhamentos em pontos de controle fluvial à margem do rio Solimões; que o barco onde estava a acusada foi escolhido para fiscalização; que solicitaram a alguns passageiros que desembarcassem com suas malas; que ela despertou suspeitas por não ser população ribeirinha; que mulheres sozinhas nessas circunstâncias geralmente carregam droga; que a acusada negou depois que as malas fossem dela; negou que soubesse o que havia ali e pareceu surpresa quando ele rasgou uma das malas com um canivete revelando a cocaína escondida; que questionada sobre a propriedade da droga na hora não disse nada…".

Em outro trecho, aparecia a contradição de Irina.

Por seu turno, a ré IRINA CRISTINA DE LEMOS, apresentando versão distinta daquela afirmada perante a autoridade policial, quando admitira a conduta que lhe foi imputada, ao ser interrogada em juízo relatou que "…estava em viagem sozinha e concordara em fazer um serviço para um desconhecido em troca de uma pequena quantidade de dinheiro, que não sabia o que a mala continha, que ficou surpresa ao descobrir a droga, que se sentiu enganada;

que a droga não era sua, que não estava traficando; que o desconhecido pediu apenas que ela levasse a mala para alguém que a estaria esperando com um cartaz; mas que nunca chegou ao destino para saber se a pessoa estaria lá..."

A verdade teria ajudado ou atrapalhado? Eu não conseguia avaliar aquilo. As pessoas irão julgá-la depois de assistir ao meu documentário, eu pensava. Irina era um enigma e, pelo visto, também para o juiz, que não se deixou convencer. Seguia assim a sentença:

Sua narrativa, entretanto, restou isolada no contexto probatório. Necessário destacar que o marido da acusada está preso por tráfico de drogas e que, segundo fontes de inteligência da polícia, continua comandando o tráfico em sua comunidade de dentro da prisão, a despeito dos esforços da autoridade policial em conter esse tipo de crime. Ora, a acusada não conseguiu provar nenhuma razão crível para estar nesta viagem sozinha numa rota usada por pequenos e grandes traficantes vindos da Colômbia. Restou provado também que a mala contendo o cloridrato de cocaína é de fabricação colombiana e estava preparada para a traficância. A acusada havia deixado os filhos com uma vizinha alegando que ficaria fora em viagem por três ou quatro dias, prometendo pagar, na volta, uma considerável soma em dinheiro, motivo pelo qual a vizinha não questionou a demora, conforme testemunho colhido pela acusação. Desse modo, não havendo qualquer indício de que todas as provas foram inventadas para incriminar a ré, é forçoso reconhecer que suas declarações não se coadunam com a realidade e que, diante da prova da materialidade e das circunstâncias fáticas, a destinação da droga à entrega do consumo alheio é evidente porque esperava a ré faturar alta soma com o negócio ilícito...

Ao terminar a leitura, eu me voltei para a defensora.
"O juiz acredita que ela mentiu, não é?"
"Isso."
"Parece que mentiu mesmo. Não foi essa a história que ela me contou."
"Provavelmente não..."

"Não estou aqui para julgar", apressei-me em dizer.

"Ela carregava droga, isso está no processo e eu não neguei. Mas Irina é primária, não tem antecedentes, não pertencia a uma facção criminosa e tem filhos. Essa mulher tem três crianças que estão em abrigos. A Justiça precisa levar isso em conta. Ela não é uma pessoa perigosa. O marido pode ser, sei lá. Ela não é. Tem bom comportamento na prisão. O rigor excessivo da pena irá prejudicar três crianças para o resto da vida, ainda que ela não seja uma mãe perfeita", afirmou a defensora de uma tacada só, uma senhora com ar de enfado, típico de quem já viu histórias infelizes muitas vezes. Depois de respirar fundo, olhou para mim como uma juíza. "E alguém é uma mãe perfeita? A qualidade necessária ela já tem: a capacidade de amar as crianças. Você não quer ir lá conhecer o abrigo?"

"As crianças estão juntas?"

"Não, o abrigo dos maiores não admite bebês, então o mais novo teve que ir para outro lugar. Te passo o endereço e posso te ajudar a conseguir permissão para a visita."

A prisão não é a única forma de punir alguém que praticou um crime, em especial um delito não violento. O ser humano, por natureza, comete erros. Alguns são pegos e outros não, mas quase todo mundo já transgrediu a lei em alguma ocasião. A liberdade é um bem precioso e sabemos que as prisões dificilmente reabilitam alguém, em qualquer canto. Defender medidas de punição alternativas à prisão e a proporcionalidade das penas aplicadas não é pregar a impunidade. Longe disso. Entendi visitando outros países que o que se busca são oportunidades reais de reflexão que permitam às pessoas entenderem a importância de cumprir a lei. As práticas de justiça restaurativa, nesse sentido, poderiam cumprir muito melhor essa função e deveriam ser amplamente disseminadas no Brasil.

Nos Estados Unidos, a Fundação MacArthur, uma das maiores entidades sem fins lucrativos do país, lançou em 2016 uma iniciativa inédita que prevê o repasse de milhões de dólares com o intuito de criar um sistema de justiça mais justo e eficaz, proposto inicialmente para onze jurisdições. O desafio desse projeto é incentivar a adoção de soluções alternativas para o encarceramento e reduzir as disparidades sociais de presídios ocupados por uma imensa maioria negra e pobre, além de mudar a forma como a sociedade pensa e usa suas prisões.²²

Visitar o abrigo onde estavam os dois filhos mais velhos de Irina mexeu com algumas das minhas mais arraigadas crenças. Eu ainda me debatia com o fato de Irina ter assumido um risco alto, sem avaliar as consequências. Eu a entrevistei tentando manter distância, ouvindo o relato de sua história, mas quando encontrei as duas crianças numa casa onde faltava quase tudo, de higiene duvidosa e sem fiscalização, meu coração trincou.

A casa descascada de branco pelo lado externo era ainda mais desagradável por dentro. O banheiro cheirava a urina porque muitos meninos faziam xixi no ralo em vez de usarem a privada, tratou de me explicar uma das serventes. Os quartos não tinham decoração, apenas um armário de ferro e quatro beliches sem colchas ou qualquer proteção para a roupa de cama. Desenhos infantis colados nas paredes me informavam tristemente que aquilo não era uma penitenciária mas um abrigo infantil. Algumas meninas vieram me abraçar e beijar, outros perguntavam à distância o motivo da minha visita.

Juntos num canto do pátio estavam os dois filhos de Irina brincando. Vestiam uniformes da rede municipal prontos para irem à escola. Eles tinham mãe, mas ela não iria às reuniões. E se ela estivesse por perto, usando uma tornozeleira eletrônica? Ninguém é totalmente mau, nem totalmente bom. Eu não conseguia evitar a avalanche de pensamentos que passavam pela minha cabeça. De que tipo de apoio uma mulher como Irina precisava para desempenhar seu papel de mãe e provedora sem recorrer ao crime?

Seis meses depois dessa visita que tanto me incomodou, eu me esquecera de Irina, preocupada com outras histórias, quando recebi um e-mail da defensora. Imediatamente me veio à mente o retrato daquela senhora de meia-idade com a difícil incumbência de defender pessoas que a sociedade costuma rotular como indefensáveis, porque irresponsáveis, porque inconsequentes... Lembro-me de ter deixado o presídio feminino acreditando que Irina era mais um caso perdido, uma história sem solução, presa numa teia de improváveis desdobramentos.

A defensora tinha me encaminhado um acórdão relativo à apelação do caso. Senti uma imediata compaixão por Irina. Em sobressalto, confesso ter começado a leitura do fim para o início porque não tive paciência para encarar o blá-blá-blá jurídico. Li rápido acreditando que não seria nada importante, apenas a confirmação de que mulheres como Irina nunca têm uma segunda chance.

Então eu vi que novos capítulos da guerra às drogas estavam sendo escritos a todo instante, aqui mesmo no meu país, abrindo caminho para entendimentos diferentes dos que vêm sendo adotados em larga escala e sem distinção.

No dia 17 de março de 2012, desembargadores da Quinta Câmara Criminal do Tribunal de Justiça do Estado do Rio de Janeiro concordaram, por unanimidade, com a seguinte decisão:

"Expeça-se alvará de soltura em favor da apelante IRINA CRISTINA DE LEMOS, colocando-a imediatamente em liberdade, se por outro motivo não estiver presa."

Faltava pouco para Irina cumprir a pena inteira, mas, para três crianças sem mãe, cada dia a menos faria diferença.

METE-BALA

Entrevistei Mete-Bala enquanto ele cumpria medida socioeducativa em um estabelecimento para adolescentes no Rio de Janeiro. Naquele tempo, ele nem sequer era conhecido como Mete-Bala. Na sua ficha, constava o delito "tráfico de drogas": quinze gramas de cocaína. Ele foi um dos cinco entrevistados naquele dia. Nossa conversa tornou-se inesquecível pelo que aconteceria pouco depois.

Cheguei sozinha para a visita. Câmera sempre constrange. Ainda mais naquele ambiente onde impera a desconfiança. Antes, fui conhecer as instalações do que, ironicamente, ainda era chamado de educandário. Vi celas superlotadas e imundas infestadas de insetos, baratas e até ratos, onde jovens, em sua maioria negros, dividiam colchões e beliches. Um cheiro nauseabundo invadia o corredor. Muitos esticavam as mãos me chamando de "tia", pediam ajuda e repetiam quase todos a mesma ladainha.

"Tia, eu só roubei um celular, me arrependi, tia!"

"Tia, eu tava com fome!"

"Tia, ajuda a gente?"

Aquilo tudo foi entrando pelos meus sentidos e parando no meu estômago. Até minha alma ficou embrulhada. Nada do que eu vira antes me preparara para um cenário tão desalentador: jovens, de classes desfavorecidas e sem futuro, se amontoavam indistinguíveis por seus crimes, sem perspectiva de estudo ou trabalho, sem tutela, sem perdão.

Eu estudei para entender e alertar sobre como as desigualdades sociais comprometem o futuro de um país, a segurança das pessoas, o bem-estar social, mas desanimo quando percebo o quanto tudo isso passa longe da vida real, das discussões nas salas de aula, das mesas de bar.

Eu tinha a autorização da Vara de Execução de Medidas Socioeducativas para filmar entrevistas em separado, a fim de evitar tumultos. Não consegui esconder minha surpresa quando vi aquele rapaz mulato e alto se aproximando.

"Você só tem quinze anos?"

"Por isso estou aqui, tá ligada?"

Magro, porém musculoso, ele exibia uma postura pretensiosa que o olhar desamparado desmentia. A aparência largada ameaçava esconder o belo sorriso. Restava-lhe a pose naquele ambiente destinado a desumanizá-lo.

"Está aqui há quanto tempo?"

"Três meses."

"Por quê?"

"Cocaína."

"Usuário?"

Ele olhou para os lados antes de responder.

"Aqui eu tenho que mentir? Qual é a tua?"

"Não… Eu estou filmando um documentário. O que você ia fazer com a droga?"

"Vender pra playboy, mas a droga num era minha, sacou? Ia só entregar."
"Você já roubou?"
"Nunca, não."
Achei que ele mentia e resolvi provocar mais o rapaz.
"Por quê?"
Ele franziu a testa. Parecia que eu não tinha ideia do que estava falando.
"Você quer saber por que nunca roubei?", ele repetiu à procura de uma resposta. "Minha mãe ia me matar antes do dono do morro!", disse isso e riu debochado.
Havia algum código de ética pautando a vida daquele menino ou ele falava da boca pra fora?
"Você tem algum sonho?"
"Sonho todo dia em sair daqui. Sonho com churrasco também."
"Eu digo de profissão."
"Profissão!? Isso não é coisa pra mim, não…"
"Por que não?"
"Bem, eu estava começando a ser vendedor, tá ligada?", disse, zombando de mim e de quem mais aparecesse ali. "Interromperam minha carreira."
"Você gostaria de ser o quê quando crescer?", perguntei para dar leveza à conversa. Ele não riu dessa vez.
"Cresço mais não, e não gosto de estudar."
Ele terminava as frases abruptamente, disposto a me derrubar pelo cansaço. Foi difícil sair do cerca-lourenço e penetrar a má vontade, até arrancar daquele adolescente um tanto embrutecido um sonho, qualquer um. Então pedi que me contasse sobre a infância no morro, as brincadeiras preferidas, até que enveredamos pela vida de um garoto que gostava de dançar e chegara a ser popular na comunidade. Disputava batalhas de passinho. Entrou para o tráfico meio sem querer. Ambicioso, foi ficando porque o dinheiro era bom, e de dinheiro quem não gosta, não é?, me perguntou insolente.
"Cê tá fazendo esse filme de graça? Aposto que não."
Achei melhor não responder. Seria pior. Eu estava pagando para fazer meu filme, coisa que talvez ele jamais entenderia.

A matemática do dia a dia, na qual ele era professor, mostrava ao adolescente infrator que o movimento oferecia uma renda maior do que a da mãe, dona Lu, de quem falava até sem perceber.

"Gosta mais de quê, além de dinheiro?"

"De cachorro e criança porque gostam da gente de graça", disse, baixando um pouco a guarda.

"E você tem cachorro?"

"Não."

"E namorada?"

"Tenho. Filho também… Que eu saiba um só", disse talvez já suspeitando que suas escapadas pudessem lhe trazer surpresas.

"Mulher é tudo chave de cadeia", continuou, fazendo uma pausa antes de completar, "com todo o respeito."

"E sua mãe?"

"Por que você quer saber da minha mãe?"

"Você tem mãe, falou dela algumas vezes. Todos temos mãe."

Ele deu uma gargalhada escandalosa antes de falar.

"Passa uma semana aqui que cê vai vê que tem nego aí que num tem mãe não. Não tem mãe nem coração."

"Como é sua mãe?"

Ele pensou um tempo, olhou para longe como se buscasse algo pela janela, filtrando memórias, e concluiu que a mãe era "durona e chorona", numa rima fácil e poética à maneira dele.

"Ela vem todo fim de semana. Mas chora quando chega aqui e aí num dá, né. Pedi para num vir mais não que isso tava prejudicando aqui minha situação."

Ao educandário ele não chegara com fama de violento, mas se transformaria bastante lá dentro. Seu destino depois iria confirmar. Superadas as dificuldades iniciais da nossa conversa, ele me contou, com ar de frustração e tédio, como havia sido pego pela polícia.

"Foi a ideia mais idiota que tive na vida", disse, tentando resumir aquele dia em que tudo mudou. "Preso por uma peruca. O cara puxou assim, ó", falou, imitando o gesto. "Caiu os pacotinho no chão. Foi ridículo", continuou, me liberando para rir num raro momento de descontração mútua na entrevista.

Criado pela mãe, com dois irmãos mais velhos e sem ter ideia sobre o paradeiro do pai, ele era mais um menino sem filiação paterna na certidão de nascimento, perfil típico de adolescentes em situação de risco e em conflito com a lei.[23] Jamais saberei o quanto a prisão contribuiu para construir o personagem inconsequente que meteu medo e bala nas pessoas. Quando ele fugiu, alguns dias depois de nossa entrevista, a assistente social me telefonou com a notícia. Fiquei na dúvida se a intenção foi me dar uma satisfação ou se embutia a inacreditável acusação de que nossa conversa o incentivara a fazer aquilo.

Fugas são previsíveis em um sistema projetado para dar errado, já que de socioeducativo o lugar visitado não tem nada. Lá dentro, crianças e adolescentes em franca desvantagem social ficavam amalgamados em condições vergonhosas e sem muita chance de terem um final feliz. Questionar isso soa desproposital para muita gente quando o que manda na consciência da sociedade é o medo: de ser assaltado, ferido ou até assassinado por um desses "menores delinquentes" sem nome – no máximo, um apelido.

Dias antes da fuga, uma rebelião terminara em colchões incendiados e quinze menores feridos. Os internos exigiam melhores condições de moradia. Não deu em nada. A face humana do "educandário" onde o menino pego como traficante cumpria pena eram guardas treinados para acabar com rebeliões num estabelecimento que visava excluí-los do convívio social. Os representantes do Estado perante esses jovens estavam lá, em sua maioria, para reprimi-los e condená-los uma vez mais pelos erros cometidos. A resposta mais habitual era a agressão, de todas as partes.

O tempo voou e, dois anos depois, meu telefone tocou com uma última e definitiva notícia sobre o jovem, agora conhecido como Mete-Bala, um traficante temido e violento: estava morto. Deixara cinco filhos. A informação que me passaram era que Mete-Bala tinha morrido em confronto. O episódio entrou para os anais da PM como legítima defesa do oficial. Pelo que apurei depois, parece ter sido o caso. Eu ainda via na minha frente aquele rapaz magro e de braços fortes, com jeito de moleque tirador de onda, me contando que o sonho dele era dançar. Pensei na sua pouca idade, nas escolhas erradas, no caminho torto e nos filhos, todos órfãos de pai, como ele.

Logo após receber a notícia, subi a comunidade onde o menino nascera e crescera com o peso de quem não pode intervir nas histórias tristes que conta. Eu precisava falar com a mãe dele.

Dona Lu fez questão de me receber em casa, numa sexta-feira à tarde, cinco dias depois da morte do filho. Ela usava um vestido de estampas florais. O cabelo grisalho estava preso num coque. Magra, pequena e branca, sua pele exibia marcas de uma mulher com mais de sessenta anos. Dona Lu mal completara 48. Ela me recebeu como se eu fosse alguém da família que morava em outro lugar. Trouxe dois cafés numa bandeja de plástico verde forrada com uma toalhinha branca de crochê. Havia capricho na casa de chão de cimento e paredes sem pintura.

Uma porta entreaberta me permitia ver uma cama com lençóis esticados. Na janela do quarto, papel pardo improvisava um blecaute. Ela me fez um monte de perguntas sobre minha profissão, minha casa, pessoas que eu conhecia na comunidade, e não me deixou responder quase nada. Eram apenas desculpas para ela discorrer sobre o que fazia para se manter, sobre coisas que ainda precisava terminar até ajeitar a casa recém-reformada, daí as paredes sem pintura ainda, e seguia como quem afasta temas mais incômodos da conversa. Por vezes, se esquecia do que estava falando e me perguntava sem graça: "Eu falava de quê mesmo?"

Num intervalo de silêncio, pedi licença para montar o tripé da câmera. Expliquei que iria filmar nossa conversa para usar trechos no documentário. Ela assentiu e assinou os papéis que passei com a lentidão típica dos que não escrevem sempre. Enquanto eu cuidava do equipamento e testava a captação do som, ela parecia distraída acendendo um cigarro que inundou o ambiente com um forte cheiro de alcatrão. Aproximei o microfone sem fio da boca e sussurrei: "Dona Lu, mãe do Mete-Bala, testando."

Vi quando ela girou a cabeça na minha direção, desperta de um transe qualquer, e, num tom solene desconcertante, me corrigiu.

"Eu não sou mãe do Mete-Bala, não. Eu sou mãe do André Luiz."

"Claro, me desculpe", disse.

Ela voltou o olhar perdido para a janela de novo.

"Acho que ninguém sabia o nome dele...", respondeu dona Lu, talvez tentando me deixar mais à vontade. "Nem ele..."

"Vamos falar dele?"

"É verdade que ninguém gostava do meu filho?"

As perguntas de dona Lu me tiraram da zona de conforto. Eu não esperava passar nada que ela já não soubesse sobre o filho. Mas eu era a novidade pós-morte, alguém que voltou do passado do filho assassinado, uma primeira visita ao luto.

"Eu não conheci os amigos do seu filho, mas imagino que ele tivesse amigos."

"Amigos? E aqueles bandidos são amigos de alguém? Se tinha, eram poucos. Namoradas, tinha muitas. Nunca vi...", disse como se estivesse ralhando com o filho morto, e esboçou um sorriso. Dona Lu me contou sua vida, a luta solitária para criar três meninos, e fez um mea-culpa involuntário.

"Pelo menos os outros dois ficaram longe do crime."

"A senhora acha que poderia ter mudado as escolhas do seu filho?"

Ela me olhou séria. Senti que eu cometera um erro em levantar a hipótese de que Mete-Bala havia lidado com muitas alternativas. Dona Lu refletia, o que me deixou ansiosa pela resposta. Alisando o dorso de uma mão com a outra, ela prendia o cigarro entre o dedo mínimo e o anelar, o que me pareceu incômodo, apesar de eu não ser fumante. Era uma mulher cheia de frustrações carregando um fardo pesado demais.

"A culpa é sempre da mãe."

Eu discordava dela, mas precisava apresentar argumentos coerentes para tentar mudar aquela visão. A tristeza dela me impediu. Eu nunca tinha conversado com uma mãe que acabara de perder o filho, o que me deixava bastante desconfortável. De menino inconsequente a bandido procurado pela polícia num intervalo de dois anos, Mete-Bala, ou melhor, André Luiz, viveu uma trajetória fugaz no crime, rápida e curta como sua existência. Em 730 dias, um garoto ambicioso e com algum talento para a dança escalara à "elite" do tráfico numa favela porque queria um carro, roupas de marca e impressionar as meninas.

"Ele dizia que aos dezoito ia comprar um carro. Cismou com isso", contou a mãe, condenando o sonho de consumo do filho. "Eu dizia pra ele, 'Pra quê?' Pra fugir da polícia? Você não pode nem descer a favela, meu filho! Nem descer a favela! Vê se isso é vida?'."

A sociedade acredita que os jovens traficantes da favela são os que mais lucram com as drogas. Sentimos alívio quando um bandido perigoso é preso, nos esquecendo de que os "donos da boca", na maior parte das vezes, não são os verdadeiros chefões.

Dona Lu reinterpretava com dor os diálogos e por vezes parecia enxergar o filho à sua frente ouvindo os casos. Ela reeditava as conversas ora elevando o tom da voz ora sussurrando para ninguém nos ouvir. André Luiz tinha ganhado dinheiro suficiente para comprar um carro, antes dos dezoito como se vê, só não sabia como usufruir. Oferecia churrasco para os vizinhos, pagava material escolar de criança, sempre generoso o tal de Mete-Bala. Quem o conheceu custava a acreditar que ele inspirava tanto medo como sugeria o apelido.

"Era uma criança. Adorava brincar com outras crianças...", disse dona Lu, sempre em frases curtas entrecortadas por pigarro. Ela bocejava muito também, pedia desculpas pelo mau jeito porque não andava dormindo bem.

O irmão mais velho rejeitava as ofertas do caçula, ela contou. Não se conformava. O do meio, segundo a mãe, queria tudo, qualquer presente. O irremediável fim da vida do menor fez todo mundo desabar. E o pior, me contou uma mulher ávida por um conselho, agora com um fiapo de voz rouca, é que o filho do meio detestava a polícia e só se referia a eles como vermes.

"Eu num gosto que ele diga essas coisas, não..."

Há três formas distintas de violência deflagradas pelo mercado ilícito de drogas. Duas delas são de menor escala e estão relacionadas ao usuário. Alguns indivíduos, sob efeito de psicotrópicos, se tornam violentos e, em casos mais raros, a droga pode ser o gatilho para alguma psicose latente. Esse comportamento errático pode redundar em brigas, agressões e acidentes.

No entanto, essas eventuais explosões comportamentais de usuários não explicam a violência nos grandes centros urbanos. Outros, para dar conta da dependência química, recorrem a furtos, roubos e transgressões. Pesquisadores que acompanharam usuários de drogas nos Estados Unidos concluíram que é mais fácil os dependentes trabalharem para o tráfico em troca de drogas do que se engajarem em atividades violentas com armas e facas.

Nem eventuais delitos nem reações psicológicas inesperadas podem ser comparados em intensidade e gravidade à terceira forma de violência identificada: aquela gerada e sustentada pelo mercado de drogas ilícitas que enriquece e fortalece o crime organizado. A violência permeia o modus operandi do tráfico. Para garantir território, mercado e poder, os traficantes alimentam a espiral de violência em disputas bélicas entre diferentes grupos. No mercado ilegal de drogas, a força substitui a lei; e o medo, a regulação.

Na ausência de justiça civil, o terror cresce como mecanismo de controle em um mundo onde cobrança de dívidas vira questão de vida ou morte. Essa dinâmica acaba justificando o uso da força do Estado contra criminosos, e esses conflitos deixam um rastro de mortes para ambos os lados do combate. As disputas pelo controle do tráfico de drogas são um dos principais fatores por trás do assustador crescimento das taxas de homicídio na América Latina e no Brasil, e do surgimento infindável de personagens como Mete-Bala.[24]

Como principal fornecedor mundial de cocaína, a América Latina se transformou em rota obrigatória do tráfico. Quase a totalidade da cocaína consumida no mundo provém de três países (Colômbia, Bolívia e Peru) onde um mercado ilegal floresce sob o comando de redes criminosas. O Brasil é usado como canal para escoar a droga que segue principalmente para a Europa e a Ásia, em geral pela África.[25] O país também se destaca cada vez mais como um importante mercado consumidor, e é nesse ambiente que os combates pelo controle de pontos de venda internos alimentam nossa guerra particular. Já em países como a Colômbia e o México, as disputas dos cartéis são mais direcionadas ao controle das rotas internacionais.

Não é coincidência, portanto, que a América Latina, com apenas 8% da população mundial, concentre 33% dos assassinatos. Também não é uma casualidade o Brasil sozinho abrigar uma em cada dez vítimas de homicídio no mundo por ano. Num intervalo de três décadas, entre 1980 e 2010, mais de 1 milhão de brasileiros foram assassinados, uma média de quatro homicídios por hora. Estima-se que os custos sociais da violência brasileira cheguem a R$ 258 bilhões por ano, ou 5,4% do PIB.[26]

Os lucros exorbitantes do tráfico de drogas financiam a compra das armas que sustentam essa guerra entre grupos criminosos e deles com a polícia. A disputa por territórios ignora fronteiras. Enquanto no Brasil as armas que mais matam são as produzidas em solo nacional,[27] estima-se que 2 mil armas de fogo sigam dos Estados Unidos para o México ilegalmente todos os dias. Parte dos recursos obtidos com o narcotráfico corrompe políticos, autoridades policiais e o sistema de justiça criminal, ameaçando a própria democracia. Quanto mais frágeis nossas instituições e mais instáveis os três poderes dos Estados democráticos, mais vulnerável a sociedade fica à ocorrência de crimes.

A rota de fuga desse enredo passa pelo apoio a famílias vulneráveis, em especial àquelas em que a figura do pai é inexistente, e pela educação de qualidade para crianças e adolescentes. O modelo escolar atual peca por não dialogar com os anseios e desafios de muitos jovens. É preciso torná-lo mais atraente. Pesquisadores brasileiros conseguiram mostrar que quanto mais adolescentes com idades entre quinze e dezessete anos frequentam a escola, menos homicídios são registrados nas respectivas cidades.[28] Adolescentes estão mais vulneráveis ao aprendizado de comportamentos desviantes. Precisam de proteção.

Jovens com renda familiar baixa e fora da escola têm chances maiores de se envolver com o crime, incluindo o tráfico. Daí a importância de projetos como a Luta pela Paz e o AfroReggae, no Rio de Janeiro, que têm se mostrado eficientes ao apostar no esporte, na cultura, na educação e na arte como meio de recuperação e na promoção da autoestima e dos sonhos de adolescentes das camadas mais vulneráveis. Não trabalham apenas com a prevenção da violência, mas com a reintegração de quem já se envolveu no tráfico. Com carinho e disciplina, estimulando o desenvolvimento de novas habilidades e dando um sentido de pertencimento a um novo grupo é possível ganhar de volta muitos daqueles que tenham feito uma escolha errada. É difícil não se emocionar ao conhecer de perto os resultados.

Políticas sociais focadas nesse grupo e suas famílias são essenciais para uma estratégia de segurança eficiente. Outro exemplo interessante que conheci é a Agência Segunda Chance, do AfroReggae, que chega a egressos do sistema penitenciário, grupo ainda mais estigmatizado socialmente. Oferecem formação profissional e bolsas de estudo a pessoas dispostas a mudar de vida depois de cumprirem pena ou quando em liberdade condicional. São situações muito delicadas. Ninguém enfrenta maior resistência de reinserção social do que uma pessoa vinda do sistema penitenciário, às vezes sem documentos e sem contar com a própria família, descrente em sua recuperação. A Segunda Chance fechou parcerias com empresas para reinserir ex-presidiários, embora a maioria dê preferência aos que não tenham um passado sujo por crimes violentos. A despeito das dificuldades em torno do assunto, os esforços da Segunda Chance vêm sendo recompensados. Em três anos, 1.500 candidatos conseguiram emprego.[29] Essas experiências precisam ganhar escala. Precisam virar política pública, para que a reinserção social seja um direito de todos e para que se reduza o índice de recaídas no crime.

Uma outra iniciativa — o Cure Violence — merece especial atenção. Com a meta de prevenir e reduzir a violência, a ONG tem uma abordagem que trata a violência como um problema de saúde pública, contagioso e endêmico. Adotada pela primeira vez em um dos bairros mais perigosos de Chicago, nos Estados Unidos, a estratégia de "curar a violência" conseguiu reduzir em mais de 65% as trocas de tiros na região e os conflitos entre gangues rivais já no primeiro ano. Talvez o segredo do sucesso da empreitada — reproduzida em outras cidades americanas e de outros países, e sempre bem avaliada pelos resultados — esteja na colaboração de pessoas que conhecem o problema por dentro. Em Chicago, dois ex-líderes de gangues rivais, com penas cumpridas, foram reunidos nessa colaboração inesperada para reduzir os homicídios associados a vinganças. Nesse caso, havia uma preocupação em neutralizar os comportamentos violentos. Enquanto durou o projeto, as retaliações entre gangues praticamente sumiram e vários indicadores de violência nas comunidades atendidas baixaram. Deu certo porque bom comportamento também se aprende. Pessoas de uma comunidade reproduzem cenas do entorno e tendem a executar o papel esperado delas, num nível inconsciente. Violência gera violência. As interferências do Cure Violence visam interromper esse processo contagioso, resgatando pessoas e revitalizando cidades.[30]

Outra questão importante são as prisões e os estabelecimentos de privação de liberdade para adolescentes. Presídios lotados oferecem a falsa impressão de que o problema da violência foi contido, mas sociedades conflagradas continuam desmoronando do lado de fora. Produzem mais do mesmo. Estudiosos entendem que a sensação de segurança gerada pela prisão de alguém que infringiu a lei é temporária, porque a maior parte desses prisioneiros vai retornar à sociedade, piorados pela experiência do cárcere, com dificuldade de conseguir emprego e com chances elevadas de cometerem novos e piores crimes. Nos Estados Unidos, um grupo de pesquisadores acompanhou o destino de 40 mil criminosos libertados em 1994 e descobriu que mais da metade (56,2%) voltou à criminalidade.[31]

O convívio de pessoas violentas, como assassinos e sequestradores, com outras cujos delitos passaram longe disso – por exemplo, furto de celular ou transporte de drogas – condena os dois grupos à mesma sentença de morte social. Para romper essa barreira do preconceito, não basta esforço pessoal do condenado. Ele depende de iniciativas que lhe ofereçam acolhida. Sem saída, muitos se voltam para atividades ilícitas novamente.

O desmantelamento da família de dona Lu retrata os bastidores da violência urbana no Brasil, uma epidemia da qual ninguém está livre. A evasão escolar e a falta de oportunidades reais de formação e emprego para jovens de áreas vulneráveis continuam sendo um problema grave nessa equação. Um em cada quatro alunos que ingressam no ensino fundamental abandona a sala de aula – o terceiro pior índice entre cem países avaliados pelas Nações Unidas. Pagamos econômica e socialmente por esse descaso. Somos todos parte do problema e da solução. Interceder antes que os jovens se envolvam com o crime seria o caminho óbvio mas raramente é o escolhido. A prevenção parece estar longe da agenda de nossos tomadores de decisão e muitas vezes fica esquecida num gabinete sem orçamento.

Difícil não fazer um paralelo entre a vida de Daniel e a de Mete-Bala, ambos jovens, soldados de grupos armados ilegais, um com status de guerrilha, outro de bandidagem. Os combatentes-mirins da guerra civil na Colômbia e os meninos do tráfico nas favelas do Rio pertencem a grupos com poucas perspectivas de futuro. Crescem expostos a um enredo de violência e são levados a cumprir o papel esperado deles. Alguns, como Daniel, escapam com vida e se reinventam, outros, como André Luiz, não.

JAQUELINE

Três anos depois da conversa com dona Lu, eu estava a caminho da yoga, dirigindo, quando ouvi no rádio a notícia de que um helicóptero da polícia tinha sido abatido por traficantes na comunidade onde eu estivera.[32] Desde a morte de Mete-Bala, candidatos ao posto declaravam guerras sucessivas contra bandos rivais. A interferência da polícia adicionava munição extra e muito sangue ao morro onde dona Lu pretendia passar o resto de seus dias, como ela havia me contado. Alvejada por tiros, a aeronave caiu no alto da favela, num local de difícil acesso, matando dois policiais. Outros dois, entre os quais o piloto, por milagre, escaparam.

Eu estava às voltas com decisões difíceis na minha vida pessoal e o documentário sugava minhas energias. Eu havia decretado uma pausa estratégica e dado um distanciamento proposital do assunto porque a violência crescente na cidade me desanimava. A nova tragédia me despertou justamente por acontecer no início do processo de pacificação em algumas favelas. O recado foi forte demais: o crime resistiria. Comecei a me perguntar quem seriam as vítimas dessa vez. O poder de fogo do tráfico não dava trégua, continuava ousado. Pensei que por trás dos tiros podia haver um adolescente como Mete-Bala empunhando uma arma que não deveria estar circulando, muito menos nas mãos dele.

Em poucos dias, a notícia sobre o helicóptero ficaria pequena nos jornais e a elucidação do crime demoraria muito para acontecer. Só dois anos depois um suspeito seria preso. Na época, aquela cena de guerra não chegou a arrefecer o entusiasmo da população do Rio de Janeiro com a nova política de segurança baseada nas UPPs. Comunidades livres de tiroteios, onde crianças passaram a brincar nas ruas, eram um quadro de grandes novidades. Os descrentes no novo modelo apostavam que em pouco tempo o castelo de sonhos iria ruir — a polícia chegara ao morro, mas o emprego, o saneamento, a escola, a creche e o posto de saúde de qualidade ainda não. A lista de necessidades não tinha fim.

Apesar de treinada para desconfiar e entrevistar, eu me identificava com os otimistas e enxergava cada etapa como um degrau galgado. Fui conhecer as comunidades beneficiadas pela UPP. Numa delas, ouvi falar de Jaqueline.

Uns se referiam a ela como Tia Jaque, outros como a capitã. A policial militar no comando de uma UPP se tornara uma espécie de defensora de causas abandonadas. Com suas intervenções, criara um vínculo com famílias e jovens da região, conquistando respeito e gratidão. Mais do que vigia, Jaqueline se tornara um modelo de policial, o que também lhe rendia alguns problemas.

"A capitã certa vez trouxe meu filho pelo braço, assim segurando firme, sabe? Eu levei um susto mas achei bem feito pra ele. Tava fazendo merda, cê me desculpe o palavreado", disse Kátia, uma mulher de uns trinta e poucos anos, magra, cabelo curto platinado, que sobrevive com diárias de faxineira.

"O que ele estava fazendo?"

"Matava aula enquanto eu trabalhava. Aí não dá, né?"

"E a policial que pegou?"

"Bem, foi ela que trouxe ele pra casa e me avisou."

Em outra circunstância, um homem humilde, com passagem pela polícia por furto, teve de encarar uma Jaqueline muito brava pela frente. Levemente curvado, barba por fazer, Alfredo me recebeu na janela, desconfiado, como se eu também fosse uma autoridade. Me contou a seguinte história:

"Ela chegou com dois soldados e bateu forte na porta. Eu tenho duas filhas adolescentes, sou viúvo, tô desempregado, e ela exigiu que eu levasse as meninas para um projeto de dança aí, uma besteira…"

"O senhor fez o que ela pediu?"

"Ela manda… Deixou aqui esse papel…", disse, me mostrando o panfleto amassado de um projeto cultural para confirmar a história.

"Por que o senhor acha dançar uma besteira?"

Ele reagiu indignado.

"Alguém ganha dinheiro com isso?"

"Olha que ganha…"

"Ganha, é?", perguntou, interessado.

"Quantos anos têm suas filhas?"

"Quinze. São gêmeas."

"E elas precisam ganhar dinheiro aos quinze?"

"Aqui todo mundo precisa. Aqui precisar é praxe, dona."

"O senhor está ganhando?", perguntei, sabendo da situação dele e fugindo da saia justa.

"Não…"

"Suas filhas precisam estudar agora, não é?"

"Acho que sim."

"E essa policial, o que o senhor acha dela?"

"Não tem como não gostar."

"Por quê?"

Ele riu. Tentava organizar as ideias.

"Quando ela chegou, minha casa estava assim com um cheiro forte, né?"

"Cheiro…?"

"Cheiro de fumaça."

"Qual o problema da fumaça?"

Ele fazia força para manter a boca fechada mas sucumbia rápido. Era engraçado entrevistá-lo. Eu continuava em pé na calçada estreita. Nada de me convidar para entrar.

"Fumaça do cigarro."

"Ela não gosta de cigarro?"

"Ela não gosta de quem vende o cigarro. Eles não são amigo da polícia."

"Sei."

"Ela sentiu o cheiro e num disse nada."

"Nada mesmo?", fingi muito espanto na minha pergunta e ele pareceu ter ficado com medo da minha reação.

"É, disse sim", afirmou, mudando de ideia.

"E disse o quê?"

"Que se a droga me impedisse de trabalhar, eu ia ter problema com ela."

"O que ela quis dizer com problema?"

"Eu sei lá. Achei melhor num perguntar, né?"

"O senhor ficou com medo?"

"Medo dela me prender, né?"

"Por que ela te prenderia?"

"Por causa das pessoas que vende esse cigarro."

A conversa seguiu assim, dando voltas no mesmo lugar, até que ele me contou ter ido atrás de emprego. Arrumara um bico de pedreiro. A intenção da comandante era que as filhas adolescentes ficassem o dia todo ocupadas com atividades produtivas e a salvo para ele poder trabalhar. Eu me tornara fã de Jaqueline antes mesmo de conhecê-la: uma mulher, quase uma lenda, capaz de operar pequenos milagres.

Não foi difícil chegar até Jaqueline. Bastou que eu aparecesse na UPP sem avisar. Pensar que para falar com tanta gente menos ocupada eu tinha que mandar e-mails, referências, dar muitos telefonemas. As portas foram se abrindo até eu me ver sentada em seu gabinete, uma sala claustrofóbica, sem janelas, construída por divisórias de fórmica dentro do contêiner que os soldados chamavam gaiatamente de "sede". Jaqueline, uma mulher bonita e mais ou menos da minha idade, olhou para mim com curiosidade. Ofereceu-me água num copo descartável. O contêiner refrigerado compensava o calor externo e tornava o encontro mais aprazível.

"Muito estressante sua profissão, não é?"

"Já foi mais", ela disse, com um sorriso sincero antes de seguir. "Houve um tempo em que eu apenas combatia. Disparava e quase levava tiro. Agora, eu converso."

"Foi orientada a fazer isso?"

"Prefiro achar que sim, porque se eu disser que é tudo ideia da minha cabeça posso acabar tendo problemas."

"A senhora sabe por que quero entrevistá-la?"

"Ouvi falar de uma cineasta que andou conversando com pessoas da comunidade."

"As notícias correm rápido aqui."

"Você nem imagina. A favela é pequena e, como você notou, a UPP não é exatamente um local de difícil acesso."

"Pois é, eu também ouvi falar muito da 'capitã' e da Tia Jaque."

Ela deu uma gargalhada.

"Eu acho Tia Jaque muito engraçado. Nunca pensei…"

"Os jovens falam…"

"Não se pode confiar mais em ninguém."

"Dizem que você não prende ninguém."

"Pelos motivos errados, não, só pelos motivos certos."

"Quais são os motivos errados?"

"Você já visitou algum presídio?", ela perguntou séria, me testando.

"Alguns."

"E você deve então ter investigado um dos principais motivos que botaram boa parte daquela gente atrás das grades, não é? Tem noção de quantos ali eram usuários, traficantes pé de chinelo ou grandes traficantes violentos?"

Balancei a cabeça negativamente.

"Nem a polícia…"

A polícia brasileira tem fama de violenta. O estresse a que são submetidos soldados, praças e oficiais explica, mesmo que não justifique, reações extremadas da força e também alimenta um círculo vicioso de pessoas malpreparadas agindo em ambientes insalubres, tensos e muitas vezes sem estrutura, onde, ainda por cima, são odiadas. Haja preparo psicológico.

No ambiente sob seu comando, Jaqueline tentava mudar isso na marra. Graças a nossas longas entrevistas, conheci uma policial que aprendera a enxergar as gradações e os tabus de uma sociedade, uma guardiã que substituíra o olhar da repressão pelo da prevenção e acolhimento ao superar seus próprios preconceitos. "Eu também acreditava que a culpa era toda do usuário e do traficante. Do usuário porque gera a demanda e do traficante porque ele vende a droga, essa coisa que pode destruir famílias. Você vai prendendo, prendendo, e descobre, antes que seja tarde, que não é simples assim. São muitos os culpados, e em vez de prendermos todos, algo impossível, precisamos focar nos violentos e buscar soluções melhores para os outros", disse.

Jaqueline transparecia orgulho de ser uma policial *self-made*, alguém que empreendeu um esforço grande para construir o currículo e refiná-lo com experiência. Ciente de que esse discurso também trazia muitos problemas ("Não sabem se eu sou o inimigo ou não. Eu confundo as pessoas…"), ela usava a realidade de dentro da corporação para compreender melhor o mundo à sua volta:

"Quando eu descobri que havia muitos policiais com problemas sérios com drogas, sendo tratados como se pertencessem a uma irmandade secreta e ao mesmo tempo sem acesso a tudo que poderia ser feito para o bem deles, senti um alívio. Dá para entender isso?", disse certa vez. "Se a polícia enfrenta dificuldades com vícios e saúde mental, ficou óbvio para mim que o combate a esse mal, e aí eu coloco aspas aqui, estava 'todo errado'. A sociedade inteira sofre com isso. Você percebeu quem são os principais alvos dessa guerra às drogas? Os mesmos excluídos de sempre, os que mais precisam de ajuda… Desculpe, se não são violentos, não prendo, não, mas por favor não grave isso."

"Os violentos são minoria?"

"Acredito que sim, e tirá-los de circulação exige um trabalho específico, diferenciado…"

"Eles fazem bastante estrago", comentei.

"Sim, querida, fazem. São criaturas com uma vida estragada arruinando a de outros."

A voz de Jaqueline saiu um tom acima do normal. Uma nuvem empalideceu o olhar da policial. Eram lágrimas. A militar sumiu da minha frente numa fração de segundo. Enxerguei apenas uma mulher.

"Me desculpe. É difícil pensar nesse assunto, e dependendo do ponto de vista que a gente adota, sofremos mais ou menos. Ter a ótica certa é fundamental para o bom combate porque se você vai com ódio no coração, plantará ódio, mas tem hora que o ódio brota teimoso, feito erva daninha... e o desejo de vingança, esse que a gente sufoca, aparece..."

Jaqueline, mãe, policial, estava fragilizada. E com raiva. O pai de seu filho morrera na queda do helicóptero abatido por traficantes. Pela segunda vez, a cena que tanto me chocou ao ser descrita pelo rádio chegava perto de mim. Seu grande dilema no momento consistia em tranquilizar o filho sobre sua escolha profissional, feita há muitos anos, meio por acaso, antes de ele nascer.

"Ele sempre pediu para eu sair, e agora pede toda hora, e dá para entender o porquê. É um pouco por causa dele que estou mudando meu foco. Quero ser uma agente de promoção da paz, e paz dá muito trabalho. Lutar pela paz te dá a impressão de estar entregando o ouro ao bandido. Vão-se anéis, vão-se dedos, mas você preserva seu coração e sua alma porque sem eles não dá para entender, sentir...", desabafou. "Meu filho está sofrendo e eu sofro muito por ele."

Achei melhor encerrar a entrevista mais cedo. Prometi voltar. E voltei várias vezes. Embora não integrasse nenhum esquadrão de elite, Jaqueline exibia qualidades esperadas da nata da corporação. Treinada, sua reputação indicava uma policial de precisão, que não desperdiçava munição. Quanto mais preparado o policial, menos tiros ele dispara. Como boa parte de seus jovens colegas, usufruiu de uma realidade muito melhor do que a de décadas anteriores. A formação de Jaqueline coincidira com a introdução de uma outra figura na segurança urbana, a Guarda Municipal, que liberou a PM de funções como organização do trânsito.

Jaqueline tampouco fazia parte do contingente que amealhava ganhos com a segurança privada num momento de alta instabilidade na segurança pública.[33] Seu interesse estava voltado para algo maior. Ela encaminhava jovens usuários de drogas ilícitas para tratamento, conversava com as famílias, tentava convencer gente desocupada e desmotivada a encontrar emprego. Muitas vezes chovia no molhado, como ela mesmo disse. "Você manda a pessoa procurar emprego e ela não acha. Daí faz o quê!?"

Ela tentava sozinha, de maneira um pouco capenga, sem a ajuda da legislação e com alguns colaboradores, fazer o que cidades americanas, como Seattle e Baltimore, implementariam alguns anos depois por meio de uma iniciativa pioneira para interromper o encarceramento da população marginalizada, que tirava deles qualquer chance de reintegração. É o projeto Lead (Law Enforcement Assisted Diversion), que desde 2011 faz da abordagem policial uma janela de oportunidades para dependentes de drogas, adolescentes infratores e pequenos traficantes. A ideia surgiu quando a polícia decidiu acatar sugestões de organizações civis que defendiam abordagens alternativas para os pequenos crimes ligados ao tráfico.

Com a ajuda de outras entidades, a polícia passou a encaminhar os infratores para treinamento profissional, programas de habitação e tratamento de dependência de acordo com as necessidades individuais. A ordem de prisão deve ser evitada, só emitida caso expire o prazo para que o infrator se inscreva nos programas assistenciais disponíveis. Destinado ao público mais vulnerável – pessoas que moram na rua e acumulam passagens pela polícia por pequenos delitos –, o Lead já conseguiu reduzir em 87% as chances de encarceramento entre os atendidos, formados por uma maioria de pessoas negras e às vezes com problemas de saúde mental.[34] Jaqueline teria adorado conhecer isso.

Caminhar pela comunidade conversando com a capitã Jaqueline me fez enxergar vielas e casebres coalhados de alegrias e tristezas. Todos escondem algum drama, como em qualquer outro lugar da cidade. Na maior parte das vezes a droga consumida era só um detalhe em enredos que falavam de alcoolismo, desemprego, abandono, lares desfeitos pela violência de fora e de dentro. O tráfico continuava agindo discretamente. Jaqueline preferia se alongar nos "finais felizes" da favela, como se fosse um romance.

"Naquela casa mora um casal com quatro filhos, sendo um deles deficiente. Um dos adolescentes ganhava a vida como aviãozinho do tráfico. Depois que a UPP chegou ele perdeu esse 'bico' e vi o menino desnorteado. Ele agora integra um grupo que treina basquete na quadra da escola depois do horário das aulas. Tá dando certo e ele virou atleta, metido que só", disse, rindo.

Jaqueline estava disposta a reduzir os danos "dessa loucura toda", nas palavras dela. A capitã comentava distorções, explicando que muitas vezes as respostas ruins vinham de tentativas bem-intencionadas de resolver o problema da violência. "Tem uma situação típica: o soldado inexperiente que, no afã de mostrar serviço, vai prender cracudo. Eu fico com pena dos dois: do policial e do viciado", disse Jaqueline, com um olhar verdadeiramente triste. "Eu não sou especialista; aliás, policial não entende de droga por mais que prenda pessoas por esse motivo. Agora, vai explicar isso para o público?"

No ano de 2014, por exemplo, o Rio de Janeiro registrou mais de 24 mil flagrantes envolvendo pequenas quantidades de drogas. A média das apreensões de maconha girava em torno de seis gramas.[35] Na Bahia, estudo parecido revelou que a maioria dos presos (60,45%) carregava um único tipo de droga, sendo a mais frequente o crack.[36]

Na cidade de São Paulo, a cena se repete. Uma pesquisa do Instituto Sou da Paz sobre prisões em flagrante revelou que 67% das pessoas detidas com maconha, por exemplo, carregavam quantidades que iam de dez a cem gramas da droga – ou seja, provavelmente eram usuários ou traficantes de pequeno porte.

No Brasil, a lei de 2006 extinguiu a possibilidade de prisão de usuários de drogas, substituindo-a por advertência, multa, prestação de serviço comunitário ou curso educativo. Porém, a lei não descriminalizou o consumo e, assim como o traficante, o usuário também continua sendo um "criminoso". O policial é quem decide como classificar a pessoa flagrada. Sem parâmetros objetivos na lei para que se faça essa distinção, estereótipos e preconceitos ajudam a enquadrar em especial negros e pobres na pior categoria.

Descriminalizar significa tirar da esfera da justiça criminal o porte de drogas para consumo pessoal. Lugares que descriminalizaram o uso de drogas, como Portugal, Espanha, México, Uruguai e Holanda, tratam o consumo como problema de saúde pública, e não mais de segurança. As drogas continuam ilegais mas usar ou carregar não é crime, não passa pela delegacia. Ao contrário do que muitos pensam, essa mudança não levou a um aumento do consumo em cerca de trinta países que optaram por ela.[37]

Portugal foi o primeiro país europeu a descriminalizar o consumo e a posse de pequenas quantidades para uso pessoal de todas as drogas ilícitas, sob duras críticas da ala conservadora que temia um aumento no abuso dessas substâncias. Não foi o que aconteceu. Desde julho de 2001, quando consumir deixou de ser crime, Portugal se manteve com um dos mais baixos índices de consumo entre seus vizinhos.[38] Quinze anos depois da descriminalização, o país apresentou forte declínio nas mortes por overdose relacionadas à heroína e a outras drogas, um resultado a ser comemorado.[39] Isso aconteceu porque o governo português passou a investir mais em serviços públicos e em programas de atenção aos dependentes.[40] A Justiça estabeleceu critérios objetivos para definir o uso pessoal (quantidade medida em gramas suficiente para dez dias de uso), de forma que os traficantes continuam sendo punidos pela lei. Traficar é crime. Outra conquista importante do modelo português foi adiar a idade da primeira experimentação de drogas ilícitas. Antes da descriminalização, o primeiro uso acontecia com frequência entre os doze e os treze anos.[41] Houve redução de consumo de maconha, cocaína, heroína e LSD entre os jovens de quinze a dezenove anos. O que se observou, porém, foi um pequeno aumento na faixa entre vinte e 24 anos, espelho da tendência europeia.

A Espanha também descriminalizou. Por lá, o autocultivo da maconha é permitido e usuários de cannabis se organizaram em cooperativas para garantir o abastecimento da planta para uso recreativo e medicinal sem ter que recorrer ao mercado ilegal. São os chamados Clubes Sociais de Cannabis. As sementes são compradas legalmente na Espanha, uma segurança sobre a origem da substância que irão consumir. Só maiores de idade podem participar dos clubes e há regras e fiscalização rígidas do modelo, que está sendo implementado também na Bélgica e no Uruguai.

Já a regulação das drogas, passo mais avançado frequentemente chamado de legalização, significa colocar sob o controle da lei uma atividade específica com regras sobre a sua prática. Precisa, no entanto, tirar da ilegalidade para definir quando, como, por quem e onde uma substância pode ser produzida, vendida e consumida. Não se pode regular o que é proibido. A regulação é um passo além da simples legalização, porque possibilita a criação de restrições concretas de idade, pontos de venda, publicidade, política de preços, investimentos, impostos e locais de uso, cercando a indústria, o comércio e o consumo, como já ocorre com medicamentos, tabaco e álcool.

O Uruguai e os estados norte-americanos do Colorado, Oregon, Washington e Alasca foram os pioneiros na implementação de modelos de regulação da maconha para fins recreativos. Em tais lugares, os impostos da venda da maconha viabilizam a prevenção e o tratamento para usuários. Isso tem produzido benefícios sociais importantes, contribuindo para a redução da violência, da corrupção e do excesso de prisões. Os investimentos em serviço de saúde são mais baixos e eficazes do que os gastos com prisões de usuários e de pessoas que cometem delitos não violentos na cadeia de produção e venda de drogas.[42] Recomenda-se que os governos façam os devidos estudos e apresentem os resultados e a conta para que a sociedade possa entender as vantagens dessas ações. Talvez o fato mais importante a se observar, no entanto, seja o impacto desses novos modelos no consumo, especialmente entre os mais jovens. Uma recente pesquisa sobre o Colorado, onde a cannabis é regulada desde 2012 e parte da nova arrecadação vai para as escolas, mostra que por lá o uso de drogas por adolescentes e jovens teve uma ligeira queda.[43]

O Colorado aposta em modelos de indústria privada para fornecimento de maconha, enquanto o Uruguai implementa um sistema de produção e distribuição de cannabis mais controlado pelo poder público. O monitoramento e a avaliação desses modelos é fundamental para embasar experiências futuras em outros lugares.

Em novembro de 2016, a população de quatro outros estados norte-americanos – Califórnia, Massachusetts, Nevada e Maine – votou a favor da regulação da maconha para fins recreativos. A Califórnia, em especial, chama atenção por ser a primeira vez que um estado desse porte (quase 40 milhões de habitantes) decide regular uma droga ilícita. Será interessante observar os efeitos dessa medida no mercado ilegal mexicano, de onde vem parte considerável da maconha consumida por lá.

O governo da Nova Zelândia também tem experimentado modelos de regulação para o uso recreativo de drogas sintéticas. A proliferação dessas substâncias escapa frequentemente do controle das autoridades porque muitas são sintetizadas a partir de matéria-prima legal. Devido ao abuso dessas substâncias, o governo neozelandês resolveu intervir criando um sistema regulado para a produção e a distribuição dessas drogas. A venda só será autorizada depois de um processo de credenciamento de fornecedores e testes dos produtos.

Os países que estão testando modelos de regulação contrariam as convenções internacionais sobre drogas, que não permitem a legalização das substâncias incluídas em sua lista de produtos proibidos. Assinadas em 1961, 1971 e 1988 pelo Brasil e outros 184 países, tais convenções preveem uma ação conjunta para combater o consumo e o tráfico, fixando como único caminho a proibição de substâncias classificadas como ilícitas, por métodos nem sempre científicos.

A regulação de substâncias psicoativas de acordo com os seus riscos é defendida por lideranças que reconhecem a impossibilidade de erradicá-las e preferem mantê-las sob o controle de instituições que se importam com a saúde, o bem-estar e a segurança das pessoas. Acredita-se ainda que essa seria uma forma de minar o poder do crime organizado, beneficiado pelo lucro do tráfico de drogas, de armas e de pessoas.

Esses especialistas sabem que a regulação não é a panaceia para todos os males da violência. Criminosos sempre existirão e para contê-los a sociedade precisa contar com um trabalho inteligente de forças de segurança pública. Mas estudiosos do assunto explicam que não haveria uma migração em massa de traficantes para outros crimes como sequestros e assaltos a banco porque a sofisticação dessas atividades, muito mais arriscadas, requer habilidades que os escalões da base da cadeia do tráfico não detêm. Por isso a importância de se investir na oferta de alternativas educacionais e econômicas para os jovens que, mesmo tendo feito uma escolha errada de entrar para o crime, buscam uma segunda chance para reconstruírem suas vidas.

Desorganizar o crime em algumas comunidades foi uma vitória, dizia Jaqueline.

"Até que ponto a gente ia permitir que eles definissem o rumo de tantas vidas?", questionou, sentada no balcão de uma padaria recém-inaugurada na comunidade pacificada.

"Você é a favor da regulação das drogas?"

"Menina... Desculpe te chamar de menina, é mania, a gente tem a mesma idade", disse Jaqueline sorrindo, antes de continuar. "Que pergunta difícil. Eu não tenho muita certeza de nada porque tem hora que a gente fica descrente das leis e falar em legalização é discutir leis, o formato delas, e tem muita lei boa por aí que nunca vingou. Mas se você me perguntar se eu concordo com a forma como a gente está combatendo o tráfico e tratando os usuários, eu te respondo que não, eu não concordo. Precisamos repensar."

"Nosso país deveria deixar de considerar crime o uso de drogas?", provoquei, assim que ela me deu chance.

"Aí eu não tenho dúvidas. O usuário, aquele que usa porque quer e aquele que já não consegue escolher porque foi dominado pelo vício, esse cara, essa pessoa não é uma criminosa. Cê tem ideia de quantas vezes a polícia é chamada por causa de briga de bêbados? Se as estatísticas fossem mais transparentes... Por que quem usa drogas é criminoso e quem bebe não é? O cara que bebe e dirige é um assassino em potencial. Perde o direito de dirigir. Caiu bastante o número de bêbados ao volante mas tem gente que ainda se arrisca e, pior, ameaça a vida do outro. Olha só a dificuldade. Mesmo assim, ele não tá proibido de beber. A polícia não tem que cuidar de viciado. É um desperdício de tempo e de dinheiro. Essas pessoas têm medo da gente e vão se afastando dos serviços de saúde que poderiam fazer algo para estancar esse drama. As pessoas não têm informação nem ideia de como pedir ajuda se precisarem..."

Jaqueline parou de repente de falar. Ela fazia isso de vez em quando como se resistisse a me contar algo. Pelas entrevistas, pude concluir quantos preconceitos e até convicções pessoais ela teve de enfrentar. Fora treinada para enxergar como inimigo quem se envolvia com o tráfico, seja no papel de comprador ou no de vendedor.

Havia em Jaqueline uma luta mais íntima, sofrida, abafada pela vergonha e pela perda recente do ex-marido. E isso ficou claro quando ela pegou um bloco de notas na bolsa, uma caneta e anotou um endereço, um telefone e o nome de uma mulher.

"Esse lugar é coordenado por ela, Laura. Eles fazem um trabalho bem interessante com dependentes de drogas, muitos em situação de rua inclusive. É bom você conhecer um ponto de vista que não é nem o da polícia nem o do bandido."

"Essa é a minha intenção, mas por que lá?"

"Tem uma pessoa muito importante para mim frequentando esse lugar."

"Essa pessoa foi a responsável por mudar sua visão sobre as drogas?", perguntei, tateando para ver aonde ela chegaria.

"Acelerou algumas conclusões", disse, simpática. "Eu senti muita coisa ruim, muita mesmo, inclusive raiva. Como é fácil odiar uma pessoa que você ama e que vai aos poucos se destruindo. Cheguei a me culpar também por aquele estado depressivo não tratado. Eu me perguntava como não tínhamos percebido antes. Só depois de algum tempo me toquei que, se essa pessoa morasse numa favela ou não tivesse casa, se não contasse comigo ou não tivesse a quem recorrer...", disse, com os olhos marejados. "Poderia ter acabado muito mal."

Jaqueline decidiu encerrar nossa última conversa. Precisava cuidar de assuntos urgentes e se colocou à disposição para me receber novamente, caso eu precisasse. Eu já descia a ladeira rumo ao asfalto quando ouvi passos corridos atrás de mim e ela me chamou.

"Helena!"

Parei. Ela me alcançou e diminuiu o passo ao meu lado retomando o fôlego e falando como se não tivesse terminado.

"Todos somos afetados pelas drogas e pela forma como as combatemos. Não é uma questão simples, eu sei que você sabe disso, mas eu não tinha me dado conta do quanto eu esperava que as pessoas ao meu redor se guiassem pelos meus princípios, pelas minhas crenças, pelo meu modo de vida, que tem funcionado bem para mim."

"Faz sentido", concordei.

"A gente espera que os outros se comportem da mesma maneira que nos comportamos, que todo mundo dê certo. A gente julga os outros imaginando que existe uma única explicação para tudo. Mas, meu Deus do céu, nem dentro da própria casa as coisas seguem uma rota previsível!"

Parei esperando ela concluir. Jaqueline respirou fundo, botou as mãos na cintura, assumiu um ar quase maternal e desabafou.

"É o meu irmão. Ele precisava de ajuda, ainda precisa, e eu demorei a entender isso. Quer dizer, eu tomei providências, estendi a mão... Mas se você soubesse quantas noites deitei a cabeça no travesseiro com raiva, acreditando, lá no fundo, sem coragem de confessar nem para mim mesma, que o errado era ele e que, por isso, merecia um castigo."

Jaqueline parou por um instante e fixou os olhos molhados num lugar atrás de mim. Estava séria. Nenhuma lágrima verteu. Ela evitava piscar.

"Eu me sentia mal por refletir a mentalidade que precisava mudar. Muito louco isso, como se uma parte de mim compreendesse o que outra parte resistia em admitir. Eu queria te dizer que, quando o assunto é droga na família e você ainda trabalha com a violência todos os dias, dá um nó porque a maior dificuldade está onde menos se espera: dentro da gente. Todos temos muitos nós a desatar."

E terminou seu breve discurso com o olhar já seco, emanando compaixão e sabedoria.

CARLOS EDUARDO

Por fora o muro alto e o portão em chapa de ferro não me davam nenhuma dica sobre onde eu tinha ido parar. Uma fachada inóspita, sem número, num bairro árido da periferia do Rio. De lá, ecoavam gritos juvenis, som de apito e o quicar errático de uma bola. Parecia uma partida de vôlei, apostei, antes de bater na porta. Ninguém atendeu. Investiguei o paredão pintado em cinza diante de mim e vislumbrei, no alto, a campainha escondida entre a dobradiça e a coluna de cimento. "Fala sério...", pensei, me esticando na ponta do pé para alcançar o botão. O som estridente se sobrepôs à algazarra. Logo o portão rangeu e apareceu o rosto afogueado de uma adolescente suada.

"Oi!", me cumprimentou, esbaforida.

"Procuro a Laura."

Entrei atrás dela e reparei na quadra ao ar livre, cheia. O jogo seguia alegre.

"Atrapalhei seu jogo?", perguntei, puxando assunto.

"Não, acabei de ser substituída. Vem cá que te levo à tia Laura."

Segui a menina, que usava uma blusa de uniforme de escola municipal e um short jeans. Magrinha e espevitada, tinha pressa em retornar à partida.

Entramos num grande galpão onde fazia um calor danado. Um palco em madeira preta, silencioso, diante de cinco fileiras de cadeiras de plástico brancas indicava um local preparado para debates. Aulas, talvez. Havia mochilas, cadernos e lápis sobre as cadeiras. Do lado esquerdo, como um estande de vendas temporário, erguia-se um outro ambiente com janelas.

"Tia Laura fica lá. Pode entrar sem bater", me sugeriu a garota, dando as costas e voltando correndo para a quadra.

Desobediente, bati na porta.

"Entra."

"Licença... A mocinha que me trouxe disse para não bater."

"Pois é, não precisa. De qualquer forma, a batida me prepara para alguma novidade. E a que devo a novidade dessa visita?"

Laura era uma simpatia só. Havíamos conversado por telefone no dia anterior para marcar a conversa e me surpreendeu ela não ter perguntado o motivo da minha visita. Eu tinha dito que queria conhecer o projeto. Lá estávamos nós frente a frente. Quase a chamei de tia. Professora aposentada, parecia interessada em tudo o que eu dizia. Encantou-se com o documentário, ficou curiosa com as demais entrevistas e com as conclusões que eu estava tirando. Se eu deixasse, ela ficaria o dia todo me entrevistando.

Tia Laura tinha aquele jeito de avó compreensiva. Quando botei um ponto-final no meu discurso, ela começou a explicar como a ONG fora criada logo após sua aposentadoria, com um trabalho de formiga. Ela pegava pela mão crianças encontradas na rua da comunidade e ia atrás das famílias. Descobriu assim um mundo de histórias tristes e entrecruzadas por trás de cada criança solitária. Logo formou uma rede de voluntários.

"É incrível como tem gente sempre disposta a ajudar", ela disse, com a certeza de que o mundo não é um lugar tão ruim assim. A ideia se expandiu e ganhou uma sede onde atividades regulares e gratuitas começaram a ser oferecidas à comunidade. "Tudo isso me levou a uma conclusão", ela anunciou, fazendo suspense."Precisamos falar mais sobre drogas!"

Laura discursava de forma doce e didática, como se nem eu quisesse ouvir o assunto. E eu entendi sua preocupação.

"Cada uma das crianças que passam por aqui me ensina sobre privações, violência, abandono e prisões. Me ensina mais sobre a aplicação seletiva das leis no Brasil do que qualquer curso superior. Agora temos vinte adolescentes, em sua maioria filhos de pais presos por tráfico, muitos por serem consumidores também. Mas, devido a várias outras circunstâncias, são pessoas que a sociedade se apressa em rotular como maus elementos. Boa parte desses adolescentes já teve problemas com drogas, e hoje participa das nossas atividades recreativas, de desenvolvimento de habilidades para a vida e mediação de conflitos. Alguns estão lá fora jogando vôlei, como você viu. Cerca de cinquenta famílias também vêm se aconselhar e participam de reuniões periódicas para dependentes de drogas. A rede é muito grande. Conto com colaboradoras e colaboradores médicos, psicólogos, estudantes, gente sem formação específica que tem histórias para compartilhar. Você ficaria surpresa se eu dissesse que tem muita gente que se despenca da zona sul para cá em vez de ir à praia?", disse. "Se sentir útil faz bem pra todo mundo."

Então ela me convidou para assistir às reuniões. Quem sabe assim eu ouviria mais casos para o meu documentário. "Sem dúvida", respondi. Alguns ainda sofrem com a dependência. Pode ser mais difícil para eles falar abertamente, ela me explicou, sempre me encorajando a tentar.

Indo embora, parei para assistir a um pouco da partida. Um rapaz com apito pendurado no peito fazia as vezes de juiz, técnico e animador de torcida. Comemorava os pontos de ambos os times, dava bronca, orientava e decidia se a bola tinha batido na linha ou fora. Gesticulava o tempo todo. Pelo porte atlético imaginei que fosse do ramo de educação física.

As adolescentes pareciam encantadas por ele, tantos eram os olhares de admiração. As reclamações pareciam diverti-lo.

No sábado, quando voltei para a reunião com os usuários, tive a impressão de ter entrado em outro lugar. Havia um falatório constante e alto. As cadeiras estavam todas ocupadas. Tentei me ajeitar num canto em pé sem ficar na frente de ninguém. Ventiladores ligados no máximo faziam circular vento e, por que não, ideias.

Laura veio me receber com um caloroso abraço. Explicou que a dinâmica daquele dia fugiria do usual. Um psicólogo da polícia com extensa experiência no tratamento de dependentes, Alexandre, estaria lá para responder a perguntas da plateia. Não haveria palestra antes. Combinaram um debate aberto do qual participavam apenas pessoas lidando com dependência de drogas e álcool. Minha presença fora autorizada pelos participantes. Eu só não poderia filmar. Não ainda. Laura abriu o debate cumprimentando "todos e todas" e anunciou-me de forma simpática como "alguém disposta a tirar o peso do preconceito desse assunto". Senti uma grande responsabilidade.

Mantive meus olhos no psicólogo. Conheceria Jaqueline? A surpresa, no entanto, viria da plateia. O rapaz que eu vira apitando o jogo pediu a vez e algo na forma de ele falar me lembrou a capitã. Claro! No final do evento, ele se apresentou para mim.

"Jaqueline me contou que você viria aqui. Eu sou Carlos Eduardo, o Cadu."

"E eu achando que ia surpreender você", eu disse, sentindo meus dedos espremidos sob um forte aperto de mão.

"Ela confessou antes para eu não achar que tinha mandado alguém me espionar, coisas da Jaque."

"E por que ela faria isso?", perguntei.

"Porque vem sendo uma estratégia recorrente dela..."

"Desconfiada, né?"

"Não é culpa dela."

Por um instante, Cadu me pareceu o irmão mais velho, preocupado com a capitã desnorteada, o que não casava com a ideia que eu trazia de uma mulher engajada, que trabalhava para mudar a abordagem de um assunto tão delicado na comunidade em que atuava.

"Não tenho nada a ver com isso...", eu disse, procurando palavras certas para dar meu recado, "mas talvez fosse interessante você conhecer um pouco mais do trabalho da sua irmã, que..."

"Ela prefere que eu não suba favelas."

"Humm."

"É que uma vez a coisa ficou feia e, muita coincidência, ela estava lá. Mal sabe ela que nem sempre eu ia lá. A droga vinha até mim."

"A droga ia até você!?"

"Coisa mais simples. Levam na tua casa, é só ligar. Tipo entregador de pizza."

"E ela não sabia?"

"Deve saber, acho, só que nunca falamos a respeito. Minha irmã é muito inocente, tem hora. Ela acha que venho aqui fumar com um monte de drogado e que a gente fica sentado no chão falando de maconha o tempo todo."

Sorri como quem discorda do teor da piada, mas achei melhor não polemizar. Fomos interrompidos por uma moça jovem, de longos cabelos castanhos lisos e olhar amendoado.

"Essa é Marina, minha namorada."

Marina e Cadu começaram a namorar pouco depois de ele passar a frequentar o grupo. Antes disso, haviam compartilhado o local de trabalho e carreiras de cocaína. Quis o futuro que eles se reencontrassem num galpão do subúrbio onde o assunto principal eram drogas. Marina optara por nunca mais usar a droga e fez isso de forma espontânea. Tinha experimentado por algum tempo o êxtase, o medo, o vigor, a ansiedade e até a paranoia. Cansada dos altos e baixos, ainda que nunca tenha se considerado viciada, achou que podia terminar mal.

"Estava ficando velha demais para isso, sabe... Pensando o que seria de mim na velhice se continuasse cheirando de vez em quando, medo de perder o controle..."

"Costumam chamar isso de prudência, porque você não está se achando velha, está?", eu disse, forçando uma censura.

Marina tinha 26 anos.

"Não... de jeito nenhum", disse ela. "Só que gosto de pegar carona na experiência dos mais velhos, e tem coisa que prefiro não arriscar."

Filha do meio de um casal de profissionais liberais, Marina era uma daquelas jovens privilegiadas com abertura para falar sobre tudo em casa. Contou aos pais que usara cocaína e disse que o mundo não veio abaixo por causa disso. Já estava engajada no trabalho voluntário para dar mais sentido à própria vida e descobrira, de quebra, o amor. Sentia-se bem assim. Era mais feliz e percebeu que construíra um clima de maior paz junto à família. Produzia endorfina correndo diariamente, disse sobre o novo bom vício. Cansara de cocaína com pó Royal, continuou, discorrendo ainda um pouco sobre a péssima qualidade da droga que se compra por aí.

"A gente não sabe o que tem ali naquela mistura, isso não é louco?", ela comentou, dessa vez olhando para Cadu, que assentiu com a cabeça sobre um assunto que parecia pertencer só aos dois. Eu não estava autorizada a opinar por alguma regra não escrita.

"Estou em busca de qualidade de vida. Esse é o lance. E, bem, também sofri quando vi o Cadu indo por um caminho ruim. Eu começava a gostar dele e aquilo me deu um certo medo, ainda que minha história fosse outra. Eu queria me sentir *cool* e depois eu canalizei minha energia para outras coisas, entende? Como vir aqui ajudar quem precisa mais do que eu", disse, com uma autodeterminação simples e direta de uma menina tentando fazer jus à sorte que deu na vida. A família de Marina merecia uma participação no meu filme?, eu me perguntava.

Os pais podem até ter se preocupado bastante com o assunto; dificilmente as pessoas passam ilesas pela notícia de que o filho está usando drogas, mesmo aqueles que consomem de forma recreativa. Cheguei a conversar com muitos casais que confessaram fumar maconha escondidos dos filhos para não serem imitados. Essa autonomia de Marina me fazia imaginar uma relação construída com muito afeto e diálogo.

A experiência de Marina é mais comum do que se pensa. Estima-se em 250 milhões o número de usuários de drogas em todo o mundo. Cerca de 10% destes estariam classificados como dependentes ou usuários problemáticos, segundo as Nações Unidas.[44] A última pesquisa sobre o uso de psicotrópicos no Brasil foi feita em 2005 pelo Centro Brasileiro de Informações sobre Drogas Psicotrópicas (Cebrid) e revelou que 8,8% dos entrevistados experimentaram maconha alguma vez na vida, sendo que apenas 1,2% eram considerados dependentes.[45] Quanto ao uso de cocaína, a pesquisa indica que três em cada cem brasileiros experimentaram uma vez na vida, nível muito abaixo do registrado nos Estados Unidos e em países da Europa.[46]

Os fatores que farão com que uma pessoa se torne dependente de drogas passam por questões sociais, culturais e psicológicas, combinadas com características biológicas. Negligência na infância, condições de vida, marginalização social e problemas emocionais e de saúde mental, um pouco de tudo ou tudo misturado, influenciam essa equação nada matemática.[47] O cenário é complexo. Milhões de pessoas são criminalizadas e presas pela política de combate às drogas no mundo todo, por leis que mal distinguem se elas integram a cúpula de organizações criminosas, se cometeram crimes contra a vida ou se fazem parte da imensa massa de produtores, carregadores, vendedores e usuários que às vezes caem no pequeno tráfico para sustentar o próprio vício, sem nunca terem cometido atos de violência.

Depois de admitir ter fumado maconha ainda jovem, o então presidente dos Estados Unidos, Barack Obama, passou a falar publicamente sobre o assunto, algo ainda incomum entre líderes e autoridades.[48] Certa vez Obama observou que "jovens da classe média não vão presos por fumarem maconha, mas garotos pobres, sim". O mais contraditório, nas palavras do presidente dos Estados Unidos, é que esses jovens estão sendo presos por leis escritas por pessoas que muito provavelmente fizeram o mesmo, mas não foram punidas na sua vez.[49] Obama se refere à realidade de seu país mas parece tratar do Brasil. O primeiro-ministro do Canadá, Justin Trudeau, foi mais longe. Revelou ter fumado maconha quando já era um membro do Parlamento canadense. Foi eleito em 2015 com uma plataforma de governo que prometeu avançar na regulação do uso de maconha tanto para fins medicinais como recreativos. O governo de Trudeau não parou por aí: em setembro de 2016, sem maiores alardes, regulou também a prescrição médica de heroína farmacêutica, chamada de diacetylmorfina, em casos de pacientes com dependência aguda que não responderam a outros tipos de tratamento.

Dedicado a estudos sobre o efeito de drogas e o comportamento de usuários contumazes – um tipo de pesquisa hoje quase inviável no Brasil, onde o pesquisador poderia até ser processado –, o neurocientista norte-americano Carl Hart conta, em seu livro autobiográfico *Um preço muito alto*, ter sido uma dessas pessoas que experimentaram cocaína e saíram da experiência a salvo, algo que ele atribui ao esporte e a sua preocupação com boas performances em campo. Ele usou, mas não continuou. "A realidade é que minha experiência é muito mais característica do que costuma acontecer com o uso de drogas que as dramáticas situações de vício apresentadas na televisão, no cinema e nos livros. A maior parte das pessoas que fazem uso de qualquer tipo de droga não chega a se viciar. A maioria daqueles que experimentam drogas nem chega a usá-las mais que algumas vezes."[50]

Nenhuma dessas vozes pretende incentivar o consumo de drogas, porque há riscos envolvidos no uso. As estratégias de prevenção baseadas na informação honesta e no diálogo, usadas em diversos países, se mostram mais eficazes. Por que é tão difícil falar sobre isso? O medo domina boa parte da educação e entendo agora que falar sobre o assunto contraria tabus construídos coletivamente.

Carlos Eduardo protagonizara uma história extrema. Deprimido, isolado, um poço de questões em aberto, em suas próprias palavras, ele tornara-se terreno propício à instalação de maus hábitos. Ele brigava contra a compulsão, a insegurança e a ansiedade. Lutava para botar de pé uma estrutura emocional capaz de impulsioná-lo rumo a uma vida produtiva e sem mentiras.

"Eu mentia o tempo todo, principalmente para mim mesmo", ele disse.

Saí de nossa primeira conversa com uma frase reverberando nos ouvidos, ainda que não fosse a intenção dele enfatizar esse lado da história.

"Eu gostava da sensação de estar fazendo algo muito errado, tipo, algo que minha irmã, aquela moça valente que você conheceu, nunca faria."

A lucidez de Cadu me impressionou. Ele falou com tranquilidade da depressão, mas admitir essa competição fraternal demonstrava um nível de autopercepção elevado.

A fala de Cadu me fez lembrar que, para muitos, aquilo que é proibido é mais atraente. Serve de estímulo. Certa vez me contaram uma história, que guardo como uma anedota, embora seja verdade. Dizem que os holandeses, quando liberaram a venda de maconha em *coffee shops* para adultos, tinham a intenção de tirar a graça da cannabis. Torná-la enfadonha e separar os consumidores de maconha dos vendedores de drogas mais pesadas. Deu certo.

O proibido muitas vezes funciona como um ímã para a necessidade de se rebelar típica da adolescência. Isso foi detectado por algumas pesquisas comportamentais. Os adolescentes britânicos, submetidos a um dos regimes mais linha-dura de combate ao uso de drogas ilícitas na Europa, estão entre os maiores usuários de maconha e outras substâncias proibidas, de acordo com a European School Survey Project on Alchool and Other Drugs (Espad), uma rede coletiva de pesquisadores independentes que mapeia o padrão de consumo de drogas, tabaco e álcool entre jovens europeus de quinze a dezesseis anos.[51] Uma outra investigação da Espad comparou o comportamento dos adolescentes americanos com o dos europeus e concluiu que, apesar do ambiente mais rígido nos Estados Unidos, os americanos usam muito mais maconha do que os holandeses e dinamarqueses, que convivem com regras mais tolerantes.[52]

A tática do medo, usada em inúmeras campanhas educativas, tampouco parece fazer sentido. O Dare (Drug Abuse Resistance Education) é o mais amplo programa de educação sobre drogas utilizado nas escolas americanas. Lançado em 1983, foi adotado por mais de quarenta países, inclusive o Brasil, onde é implementado em escolas pelas polícias militares com o nome de Programa Educacional de Resistência às Drogas e à Violência (Proerd). O programa parte da teoria de que o uso de cigarro, álcool e maconha indica prognósticos sobre o uso de drogas mais pesadas como cocaína, heroína e anfetaminas, reforçando a teoria da porta de entrada, que costuma atribuir à maconha o papel de estimular o consumo de outras substâncias. As campanhas visavam fortalecer a capacidade dos jovens de resistir aos apelos sociais dizendo não às drogas. A intenção inicial era boa, mas criar medos e a falsa ideia de que as drogas são todas iguais pode até ser contraproducente no esforço de prevenir o uso.[53]

Avaliações de longo prazo realizadas nos Estados Unidos não encontraram diferenças de hábitos entre os jovens submetidos ao Dare e o grupo de controle, poupado dessa cartilha. Na verdade, descobriram que a tendência ao uso de alucinógenos era três vezes maior entre os adolescentes supostamente doutrinados pela intimidação.[54] Em março de 1999, o Institute of Medicine publicou um relatório sobre os vários aspectos da maconha, incluindo a Gateway Theory (teoria da "porta de entrada"). Após anos de investigação, os cientistas descartaram esta hipótese e declararam que a maioria dos usuários de drogas começa pelo cigarro e pelo álcool, substâncias liberadas. A Organização Mundial de Saúde (OMS) considera que o mercado ilícito de drogas, e não a maconha, é a perigosa porta de entrada que se teme abrir — porque, uma vez em contato com o traficante, o comprador estará exposto a outros produtos ilícitos e mais perigosos.

Sabe-se que quanto mais jovem o usuário, maior o dano provocado pelo consumo. Prevenir e retardar ao máximo o uso e evitar o abuso são as medidas mais importantes de uma política de drogas realista e eficaz. Dezenas de países em todos os continentes adotaram nas últimas décadas políticas de redução de danos para mitigar consequências negativas sociais e de saúde do abuso de psicoativos. Essas propostas não impõem a abstinência como pré-requisito e incluem também medidas preventivas para melhorar o bem-estar de dependentes de drogas. Esses países entendem que serão mais eficientes se ajudarem os usuários que não querem ou não podem parar de consumir determinadas substâncias.

A síndrome de abstinência de opiáceos e álcool pode matar. Como o corpo não consegue mais produzir endorfina — o hormônio que inibe a dor e gera prazer —, surgem espasmos musculares lancinantes, para ficar num único sintoma. Isso levou vários países europeus, como Holanda,

Alemanha, Suíça, Noruega e Dinamarca, a criar programas de substituição de heroína por metadona,* o tratamento possível para os dependentes dessa substância. Alguns também abriram salas seguras para o uso da heroína e cocaína injetável, a fim de fornecer aos usuários mais problemáticos seringas esterilizadas e a própria heroína produzida com rígidos controles de qualidade e de potência. Nessas salas, o uso de drogas é permitido, sob a supervisão de profissionais da área da saúde.

Tais iniciativas visam diminuir overdoses, estancar a transmissão de doenças graves como a hepatite e o HIV e abrir as portas do tratamento aos interessados em parar de consumir, além de evitar que os dependentes cometam crimes para comprar drogas. A maior parte das agências das Nações Unidas acolheu o conceito de redução de danos, embora continue sendo um tema polêmico para países com políticas mais intolerantes como Filipinas, Rússia, Cingapura e Indonésia, entre outros, onde há pena de morte para tráfico de entorpecentes. A mais ampla experiência de redução de danos adotada no Brasil vem da campanha "Se beber, não dirija". Ninguém fica proibido de beber, mas a lei restringe os possíveis estragos gerados por um bêbado ou por uma pessoa com os sentidos alterados ao volante.

Carlos Eduardo errou bastante antes de acertar no tratamento de sua dependência. Escapara de duas overdoses e isso o qualificava, argumentou, para desenvolver o trabalho atual com um grupo de adolescentes usuários de crack. Ainda sofria com sintomas como o pânico. Havia dias em que o único lugar onde se sentia seguro era a própria casa.

"Tentei ficar sem usar nada e cada recaída só fazia meu medo aumentar. Eu ia ficando fraco por dentro, sem coragem de sair, de fazer nada. Aumentava também o buraco aqui dentro", disse, botando a mão fechada no peito como se fosse um cumprimento. Quando o questionei sobre a principal motivação para sair do fundo do poço, termo que ele usou o tempo todo para se referir ao vício, Carlos Eduardo respondeu sem titubear:

---

* A metadona é ingerida pela boca, eliminando a prática de injetar drogas e diminuindo a taxa de contaminação de doenças infecciosas como HIV e hepatite C entre usuários, sem gerar os efeitos colaterais da heroína.

"O medo de decepcionar minha irmã mais uma vez."

"Você acha que a decepcionou?"

"Ela e toda a família."

"Jaqueline acompanhou tudo o que aconteceu contigo?"

"Bem... Ela assistiu a capítulos importantes dessa novela. Perdeu detalhes... Muitos. Ela nunca se conformou com as minhas escolhas. Achava que eu precisava frequentar um grupo que me limpasse de tudo porque essas eram as experiências bem-sucedidas que ela tinha conhecido. Eu tentei, mas não deu certo para mim. Ela ficou achando que eu não tinha força de vontade suficiente. Devia estar me achando um fraco, eu continuava angustiado e..."

Cadu sofria para me contar aquilo. Tentei seguir um rumo menos aflitivo para ele, embora eu não soubesse exatamente qual.

"Que tipo de detalhes ela perdeu?"

"Ela não sabe que fumei crack. Ela acha que era só cocaína. Nem tem noção do quanto abusei de bebida. Ela sofria o suficiente com o que sabia..."

"Por que você fumou crack?"

"Eu precisava de algo para dar conta da fissura e, quando não tinha dinheiro para comprar cocaína, apareceu o crack. Eu abusei de tudo."

"E hoje?"

Ele respirou fundo e me encarou como se averiguasse no fundo da minha alma se eu estava preparada para ouvir o que ele tinha a dizer.

"Sou um cara compulsivo... Difícil admitir isso... Fumar maconha tem me ajudado a relaxar. Durmo melhor. Foi sugestão do meu psicólogo para reduzir o impulso de cheirar..."

"Do seu psicólogo?"

Não escondi meu espanto. Cadu relaxou. Riu de mim.

"Sim, e ele é da polícia. Não é incrível?", disse, forçando uma expressão de ironia, ainda que Cadu não fosse nada irônico em suas colocações.

Pisquei devagar e demoradamente pensando, "Ora, ora, se as coisas não estão mudando...".

"Sei que maconha também pode causar dependência, mas faço uso medicinal, quando preciso aliviar a ansiedade e o vazio. Estou atento e hoje a maconha não me impede de trabalhar e ter uma vida normal."

Carlos Eduardo estava sem usar cocaína e crack havia mais de um ano.

Cocaína em pó e crack são no fundo a mesma droga, a diferença entre elas é a forma de utilização, a rapidez dos efeitos e os produtos químicos adicionados às misturas. Fumada, a pasta base da cocaína – ou crack – chega em segundos ao cérebro, como a droga injetada, produzindo resultados mais intensos e perigosos.[55] Esse tipo de uso está mais associado a níveis altos de vício. Na essência, no entanto, crack e cocaína são drogas capazes de produzir dependência e desenvolver tolerância, o que faz com que doses cada vez maiores sejam necessárias para se atingir o mesmo efeito.[56]

A diferença estabelecida entre cocaína e crack tem a ver também com o status que cada substância construiu ao longo da história. Enquanto a cocaína virava refrão da música de Eric Clapton nos anos 1970, a droga ganhava fama associada à riqueza e à vida de playboys. A pedra de crack, mais barata e de fácil acesso, acabou se tornando a droga mais usada por pessoas em situação de rua, mais expostas, portanto. Essas cenas públicas alimentam a ideia de que o crack se tornou uma epidemia. Curiosamente, a crença não vem de agora. Em 1986, o *Los Angeles Times* divulgou descobertas da Drug Enforcement Administration (DEA), o órgão de combate a narcóticos nos Estados Unidos, que apontavam desde então "uma perspectiva distorcida sobre o uso do crack em comparação ao uso de outras drogas". A DEA afirmava que a imprensa dava destaque a histórias de violência e vício imediato provocados por uma droga que nem sequer estava disseminada como se acreditava. A cena parece se repetir nas capitais brasileiras, trinta anos depois.

A pesquisa nacional sobre uso de crack no Brasil estima existirem 370 mil usuários nas capitais brasileiras, número alto, mas bem menor do que o inicialmente previsto em outras enquetes. A situação desses usuários é de fragilidade. São pessoas marginalizadas, que não tiveram acesso às políticas públicas de inclusão social das últimas décadas. É expressiva a proporção de usuários em situação de rua – cerca de 40%. Dos usuários de crack, 80% fazem uso concomitante de álcool e cigarro. Tráfico e furto como fontes de renda para financiar o consumo foram relatados por somente 9% e 6,4% dos entrevistados, respectivamente. Apesar disso, quase metade deles já foram presos alguma vez na vida – dentre estes, 30% por uso ou posse de droga e 11% por tráfico/produção de drogas.[57]

O desconhecimento e o preconceito muitas vezes estão por trás de medidas ineficazes como prender o frequentador da cracolândia por posse de droga, internar à força sem indicação médica ou enxergá-lo como um ser humano desprovido de alma, um zumbi, incapaz de fazer escolhas. Eu mesma só me dei conta disso ao visitar um lugar desses e enxergar de perto a pior face do abandono.

Cerca de 40% das pessoas que usam o crack chegam a desenvolver dependência. É um percentual alto e bastante assustador, só não corresponde ao total de usuários. Eu não imaginava, por exemplo, que havia pessoas ricas e bem-vestidas usando crack em lugares mais discretos e charmosos. Esse dado costuma surpreender muita gente. Me surpreendeu. Dentre os motivos mencionados na pesquisa para usar crack pela primeira vez estão, além da curiosidade de experimentar, problemas familiares e perdas afetivas, o que indica a possibilidade de intervenção preventiva.

Esses achados apontam para uma questão central nas políticas públicas voltadas para esse grupo: a importância do reforço de laços familiares para minimizar os conflitos e prevenir o consumo. A ressocialização do usuário precisa ser uma prioridade. Não basta trabalhar com o indivíduo sem incluir suas redes sociais e sua família. Programas de oferta de moradia e emprego para essa população garantem resultados que vão muito além de simplesmente abandonar a droga.

Dartiu Xavier, psiquiatra da Universidade Federal de São Paulo (Unifesp), trata usuários de crack há anos. O médico observou que alguns deles haviam recorrido à maconha para aliviar o mal-estar provocado pela droga mais forte. Esses relatos o incentivaram a estudar se a maconha poderia ser um fator coadjuvante no abandono progressivo do crack. Depois de acompanhar de perto um grupo de pacientes que usou este método voluntariamente, ele constatou que 68% deixaram o crack de lado e depois largaram de forma espontânea a maconha também. Alguns tipos específicos de maconha abrem o apetite – algo que o crack rouba do usuário – e reduzem a ansiedade, outro problema detonado pela dependência de crack. A pesquisa, divulgada em 2010, gerou muita polêmica e foi criticada, uma prova da resistência que o assunto enfrenta, inclusive no meio científico, onde essas relações são pouco estudadas.

Ainda que o emprego da maconha como porta de saída de drogas pesadas dependa de mais avaliação, seu uso medicinal é reconhecido em vários países. Ajuda a combater os efeitos colaterais da quimioterapia em pacientes com câncer e dores agudas de várias doenças crônicas. No Brasil, a experiência de Katiele Fischer e sua filha Anny, que sofre de um tipo raro de epilepsia resistente a outros tratamentos, foi fundamental para a regulação do cannabidiol. A substância, derivada da cannabis, não é alucinógena. Katiele, por impedimento da lei, precisou traficar. Depois de comprovar que a substância reduzia muito as convulsões da filha, conseguiu na Justiça autorização para importar. Hoje, o cannabidiol está regulado, assim como outras substâncias derivadas da maconha, incluindo o THC. Ainda não há previsão para a produção nacional de maconha medicinal. Pacientes continuam tendo que passar pelo custoso, demorado e burocrático processo de importação, que poderia ser simplificado. Só depende da vontade política do governo federal.

O uso medicinal da cannabis estava liberado nos Estados Unidos até os anos 1970, quando uma nova lei a colocou na lista das substâncias proibidas "por seu alto potencial de abuso". A despeito dessa restrição, até 2016 28 estados americanos, além do Distrito de Columbia (Washington, D.C.), já tinham autorizado o uso da cannabis para fins medicinais, e isso não resultou em aumento no consumo, nem entre os jovens.[58] O cerco a substâncias ilícitas também impede o acesso de bilhões de pessoas a analgésicos e medicamentos capazes de aliviar dores atrozes de pacientes terminais de câncer, HIV e também de mulheres em trabalho de parto. Dados da Organização Mundial de Saúde indicam que 5 bilhões de pessoas têm parco ou nenhum acesso a opioides, substâncias derivadas de ópio e empregadas no controle de dores extremas e em cirurgias. Essa denúncia vem sendo repercutida pela Associação Internacional para Estudos da Dor, uma rede com integrantes em 130 países. Para se ter uma ideia do tamanho do problema, o tratamento com metadona, de eficácia comprovada para dependentes em heroína, só está disponível em oitenta países.

Acompanhei o tratamento de Carlos Eduardo por quase dois anos. Nesse tempo, procurei o psicólogo da polícia e perguntei sobre o uso da maconha para dependentes de cocaína e crack. Como não era um estudioso do tema e não havia desenvolvido pesquisas, Alexandre foi muito reticente na conversa. Contou a seguinte história.

"Um amigo médico estava dando assistência no hospital a um jovem que teve a perna amputada e que reclamava de muitas dores. Nada dava paz ao sujeito porque lhe doía o pedaço do joelho para baixo que já não estava mais lá. É o que a gente chama de dor do membro fantasma, uma síndrome clínica dolorosa. Tratar isso é complicado à beça. Não existe analgésico que dê jeito. Às três da manhã, esse meu amigo entrou no quarto do rapaz com um cigarro de maconha e deu para ele fumar. O jovem parou de reclamar da dor e dormiu em paz", disse Alexandre, que me pareceu bastante emocionado ao fazer o relato. "Meu amigo acha válida a estratégia do Cadu de trocar a cocaína pela maconha até largar tudo, quem sabe. Você vai julgar o médico que fez isso? Condená-lo à prisão? Denunciá-lo por introduzir uma substância ilícita que deu conforto a uma pessoa em sofrimento?"

Carlos Eduardo parecia uma pessoa confortada. Depois de iniciar seu tratamento, fizera uma pós em Educação Física para jovens e começou a dar aulas em duas escolas particulares. Em 2012, Cadu e Marina estavam de casamento marcado, um casal feliz alimentado por todo um futuro pela frente. Fiquei surpresa ao receber o convite porque eu já não estava mais tão presente. Foi muita gentileza deles. A cena ficaria bonita no meu documentário. Promovida a major, Jaqueline tinha se tornado colaboradora de uma ONG internacional no Brasil, formada por juízes, policiais e procuradores engajados em mostrar novos caminhos para a política de drogas que não passem pela proibição.[59] Ela não pretendia largar a farda, e nem Alexandre, o psicólogo gente boa que fora adotado por toda a família depois de ajudar Cadu a sair do fundo do poço.

Eu não sei se Cadu deixou de fumar maconha. O que eu vi foi um jovem retomar a vida com propósito e ainda desempenhando um papel social importante. Ele também me ensinara que a vulnerabilidade humana exibe certas características. A depressão e problemas como ansiedade e fobias costumam estar presentes em muitos dos casos de dependência química relatados na área médica.

A falta de investimento em saúde mental gera um custo global de 1 trilhão de dólares, segundo a Organização Mundial de Saúde. Dar a devida atenção a transtornos depressivos e de ansiedade torna as pessoas menos vulneráveis ao uso abusivo de entorpecentes, álcool e medicamentos controlados. A incidência dessas doenças aumentou 50% entre 1990 e 2013 e tenderá a crescer ainda mais nos próximos anos. Um amplo estudo da OMS mostrou que, em quinze anos, 12 bilhões de dias deixarão de ser trabalhados por pessoas com depressão ou ansiedade em 36 países.

Infelizmente, ainda não existe exame simples capaz de prever a tendência de uma pessoa se tornar dependente de drogas. Também não existe registro de que a humanidade tenha usufruído de algum momento sem recorrer a substâncias psicoativas. As drogas estavam aí antes que a civilização se desse conta de seus impactos na vida dos indivíduos e na coletividade.

Nenhum ser humano será resgatado de sua dependência por ameaça ou castigo. Prender não tem resolvido o problema. Cria outros piores que a dependência, e essa é a análise mais distanciada que se pode fazer de um dilema tão complexo. O investimento em prevenção, redução de danos e tratamento individualizado e de qualidade é mais eficaz do que o gasto com repressão. Ainda nos faltam dados e pesquisas, mas algumas soluções começaram a ser testadas e precisam ser conhecidas de perto. A mais antiga delas, no entanto, não tem efeito colateral e continua valendo. Cadu, como Daniel e tantos outros, foi salvo também pelo amor.

HELENA

As histórias reais falam mais alto do que qualquer estatística – números, por mais assustadores que sejam, não choram. Convencida de que muitas das autoridades por trás de políticas públicas não têm ideia do que se passa em toda a cadeia do tráfico, fui atrás dessa realidade e também de caminhos alternativos que estão sendo desbravados. Foi assim que encontrei os personagens do meu filme e tantos outros cujas vidas nos parecem tão difíceis de digerir. A guerra às drogas, no fundo, mira pessoas que muitas vezes não têm escolha. Eu queria contar a história dessas pessoas.

Muitos me perguntam qual é a minha relação com o tema, se sou usuária, se gosto, se tenho parentes envolvidos com drogas ou interesses comerciais. Acham que escondo algo. Para ser honesta, dei sorte. Não precisei sofrer na pele as piores consequências da guerra às drogas para me indignar e querer me engajar na busca por uma sociedade mais justa e pacífica. Estou atenta e também sofro as consequências violentas que perseguem todos os dias moradores das cidades brasileiras. Sinto minha liberdade de ir e vir ameaçada. Enxergo nos olhos de um estranho o medo do outro, sobretudo se o outro for "diferente". Me entristeço a cada dia com as notícias de mães que choram a perda de seus filhos. Estou sujeita também a doenças psicológicas como ansiedade e síndrome do pânico, comuns nos grandes centros urbanos, onde estamos todos juntos e ao mesmo tempo tão sós. Isso me assusta. Vejo por toda parte desconfiança na polícia e muita desinformação sobre como ajudar as pessoas que usam drogas e precisam de apoio.

Mantive o projeto do filme por mais de uma década, sem apoio e sem poder me dedicar integralmente a ele. Filmava quando encontrava personagens que representassem os problemas e as soluções que eu queria contar. Nesse período conheci Daniel, Irina, Mete-Bala e dona Lu, Jaqueline, Carlos Eduardo e inúmeras outras pessoas atingidas pela política repressiva. Eles jogaram luz nos cantos escuros da minha compreensão sobre o tema porque eu mesma, quando comecei essa caminhada, carregava ideias preconcebidas que fui abandonando pelo caminho.

Eu não entendia, por exemplo, a natureza do vício, no mais amplo sentido da palavra. Por causa de Carlos Eduardo, investiguei os comportamentos compulsivos para além das drogas. Frequentei grupos de ajuda para pessoas que comem de forma compulsiva, descontroladas financeiramente e viciadas em jogos. Ver de perto as vísceras da natureza humana com toda a sua fragilidade exposta me fez perceber o quanto eu era preconceituosa sobre a dependência das drogas, um problema que passa por questões sociais, ambientais, físicas e psicológicas. Estamos todos em busca de recompensas e, embora possamos ter consciência das consequências ruins de nossas escolhas, às vezes não conseguimos mudar o padrão. Seremos castigados ou receberemos ajuda?

Dona Lu encarnava a manifestação de uma das piores dores psicológicas que uma mãe pode sentir: o luto por um filho. No caso dela, uma dor sem auxílio, sem plano de saúde, sem analista. Uma dor que ela definiu como um vendaval dentro da cabeça. "Varreu todas as minhas vontades e até as minhas lembranças. Ando muito esquecida", disse. O sofrimento das mães do tráfico não é menor do que o de uma mulher que perde um filho sem mais nem menos, na contramão da ordem que esperamos da vida. E elas estão por toda parte, mais perto do que a gente imagina, enfrentando, cada uma à sua maneira, esse drama psicológico potencializado pela violência. Das cinquenta cidades mais perigosas do mundo, 32 estão no Brasil.

André Luiz é um rapaz. Poderia ser muitos. Ele não nasceu Mete-Bala. Personagens como ele surgem em lugares onde o crime desponta como o principal atrativo para jovens sem rumo e que não se resignam à exclusão social e econômica imposta pelas circunstâncias e geografia de seu tempo. Sua ambição poderia ser mais bem canalizada para algum negócio legal e sua vida não seria interrompida de forma trágica e precoce. Sua morte tampouco encerra o problema. Nem a prisão o faria. Ele tem tão pouca importância para o negócio das drogas que, antes de eu terminar de entrevistar dona Lu, havia outro no lugar dele.

O roteiro do filme foi sendo escrito à medida que minha investigação avançava e eu descobria mais pessoas afetadas pelas consequências negativas das políticas de drogas. Elas não tinham ideia de que era essa política um dos principais fatos geradores de seu sofrimento. Também encontrei pelo caminho iniciativas inovadoras que resgataram meu otimismo. Pessoas que acreditam em abordagens diferentes para lidar com drogas e cujos resultados estão abertos à visitação pública. São experiências que crescem inclusive no Brasil, mesmo que em âmbito nacional tenhamos resolvido seguir, como quase todos os países, a estratégia da repressão a todo custo e que nos causa dor demais. Por que insistimos nessa tese, então?

Existem dois argumentos repetidos à exaustão por aqueles que resistem em mexer na atual política de drogas. O primeiro argumento afirma que, se medidas como a descriminalização do uso ou a regulação do mercado forem implementadas, o consumo vai se expandir, sobretudo entre crianças. Obviamente também não quero que isso aconteça. O que sabemos atualmente é que o consumo não apresentou aumentos significativos e que crianças e adolescentes ficaram mais protegidos nos países que adotaram essas medidas de forma responsável. Por mais difícil que seja, precisamos encarar o fato de que as drogas não estão sob controle hoje.

É um paradoxo que parte da sociedade prefira acreditar nessa hipótese enquanto, na verdade, vivemos a indesejada liberação geral. Hoje quem toma conta desse mercado não se preocupa com o bem-estar, a saúde nem a segurança dos nossos filhos. Pessoas de todas as idades conseguem comprar quaisquer drogas, sem controle de qualidade ou potência, em qualquer lugar. Vi isso na prática. Seja dentro ou na porta das escolas, nos presídios, nos hospitais, nas esquinas ou entregue em casa, o acesso é garantido. A droga circula livremente.

Terminei o documentário me perguntando como eu gostaria que esse mercado fosse gerenciado. Quem deveria estar no controle de substâncias que podem causar danos e até matar? Produtos perigosos como explosivos e drogas para fins cirúrgicos seguem regulações rígidas. Acontecem desvios? Sim. Regulados e fiscalizados, no entanto, esses produtos causam menos danos do que liberados ou geridos por criminosos no mercado ilegal.

O segundo argumento citado por quem prefere culpar o usuário de drogas, como se ele fosse o criminoso, é que o sistema de saúde ficaria sobrecarregado com o aumento da procura por tratamento. Essa afirmação esconde dois equívocos. Primeiro: pressupõe que a descriminalização ou a regulação de drogas faria o consumo explodir. Isso não ocorreu em cerca de trinta países onde consumir não é mais crime, tampouco aparece nas primeiras pesquisas sobre o uso de drogas nas localidades que optaram por regular toda a cadeia da maconha. Mais um engano é ignorar a demanda por tratamento reprimida pelo medo. Muitos não pedem ajuda por desinformação sobre o que funciona ou não no tratamento da dependência de drogas. Outros acham que podem acabar na cadeia, apesar de não existir mais pena de prisão para consumidores de drogas no Brasil desde 2006.

Não investimos o suficiente em pesquisas para entender a fundo a dependência e desenhar melhores terapias. Há boas equipes na rede pública de saúde mental que não contam com estrutura suficiente para oferecer tratamentos de qualidade a todos que precisam. As opções são limitadas, e as lições de outros países bem-sucedidos na atenção aos usuários, ainda ignoradas pela maioria. Os escassos recursos públicos estão indo para o lugar errado: o foco precisa ser na prevenção e na redução da demanda e do abuso, e não somente da oferta das drogas. Enquanto a meta for construir mais presídios e aumentar o efetivo policial e do judiciário para dar conta de um enorme número de réus primários não violentos, presos e acusados de uso ou de tráfico, vai faltar dinheiro para o que mais importa.

Amenizar o sofrimento gerado por uma política de drogas equivocada, que para muitos brasileiros, colombianos e mexicanos é superlativo, teria o valor de um acordo de paz. Estamos prontos para isso?

A Colômbia, a origem do meu entendimento sobre as muitas faces da política mundial de combate às drogas, avança rumo à implementação de um acordo de paz, fruto de uma intrincada e longa negociação para botar fim a uma guerra de mais de cinquenta anos. Em setembro de 2016, o governo e o principal grupo guerrilheiro – as Farc – assinaram um acordo de paz e um cessar-fogo. O acordo foi rejeitado em uma primeira consulta à população, que questionou alguns pontos sobre a justiça aplicável aos guerrilheiros e membros do Exército colombiano. Os representantes do governo e das Farc voltaram à mesa de negociações.

Tendo em mente as principais críticas feitas à versão anterior do acordo, em novembro do mesmo ano redigiram um novo texto, numa demonstração ímpar de compromisso com a paz. É importante ressaltar que esse é o único acordo de paz no mundo em que drogas são um tema central. Estão previstos, por exemplo, o rompimento das Farc com o narcotráfico e a adoção de uma política pública comprometida com a promoção da saúde quanto ao uso de drogas.

O processo de construção da paz na Colômbia reconhece que reprimir militarmente a cadeia das drogas não rendeu bons resultados. Os negociadores querem medidas de prevenção, sobretudo para o público infantil e adolescente. Seu mais auspicioso objetivo é oferecer uma segunda chance aos envolvidos no conflito. Fala-se mais em reintegração do que em prisão – o que não significa impunidade, pois as pessoas acusadas de crimes contra a vida, como tortura e assassinato, serão julgadas. É uma fórmula inspiradora.

Haverá percalços nesse caminho. Substituir uma tática repressiva de décadas por uma abordagem pacífica vai contra a crença de muita gente. Não será uma mudança fácil. A sociedade colombiana está dividida. Mas o que eu vi até aqui foi um caminho inovador que transformou vidas enquanto percorrido. Dois lados que se enfrentaram por meio século em uma guerra civil dialogaram por anos para negociar o fim das hostilidades e chegar a um acordo. Mesmo não sendo à prova de questionamentos nem de erros, esse processo espalhou sementes que vão germinar. Ainda que por aqui não tenhamos uma guerra civil declarada, podemos mirar no exemplo do vizinho do Norte. O Brasil também precisa começar a plantar o que pretende colher, se mais violência ou paz.

POSFÁCIO
O INÍCIO DE TUDO

Meu envolvimento com o tema política de drogas se deu por acaso. Eu estudava Relações Internacionais e minha disciplina favorita era mediação e resolução de conflitos. A violência sempre me incomodou, em especial contra crianças. Já naquela época, eu não me conformava com nossas altas taxas de homicídios, assunto cuja complexidade nossos líderes ainda não estão dispostos a enfrentar. Assumi como missão colocar esse assunto como prioridade na agenda dos governantes, fomentar debates e ações para mudar o quadro.

Após terminar a faculdade, pedi demissão de um banco de investimentos onde uma carreira próspera acenava sedutora, sem no entanto me encantar. Conseguira uma bolsa para cursar um mestrado na Suécia sobre Estudos de Conflitos e Paz. Antes de embarcar, cruzei com um artigo de jornal no qual um antropólogo inglês fazia um paralelo entre a vida de crianças recrutadas como soldados em guerras e a de crianças envolvidas no tráfico de drogas no Rio de Janeiro. Encontrar por escrito muito do que eu já desconfiava me entusiasmou. Procurei o autor para dizer-lhe que, na volta da Suécia, eu gostaria de me juntar ao time para levar o tema adiante.

Carreguei para o mestrado minha indignação com a violência, mas, na Suécia, ouvi dos meus bem-intencionados professores que meu projeto de pesquisa sobre a violência nos grandes centros urbanos do Brasil não se enquadrava nas propostas do curso porque meu país não vivia uma situação de conflito armado. Vivemos sim, eu disse. Os índices inaceitáveis de homicídios do Brasil só podem ser comparados aos de regiões com graves conflitos. Para a história e os meios acadêmicos, com suas definições específicas e seus tratados e convenções, faz diferença existir uma declaração formal de guerra. Para a vida real, não.

Por definição, numa guerra civil há grupos armados movidos pela intenção de derrubar o poder político local. No Brasil, os grupos armados querem tomar conta do negócio ilegal de drogas, e não ocupar o lugar do Estado – embora controlem territórios, banquem campanhas políticas e elejam candidatos. Não possuem bandeiras, mas conseguem comprar o apoio e o silêncio disfarçado de certas autoridades. Buscam a todo custo o lucro farto deste negócio ilícito sem se preocupar com a saúde e a segurança de seus clientes. Armam seus pequenos exércitos com jovens e adolescentes excluídos da estrutura social dominante.

Quando meio a contragosto mudei o tema da pesquisa para o conflito armado colombiano, fui parar no lugar certo. Pude enxergar um fio condutor alimentando um círculo vicioso de medo, desinformação, corrupção, prisões e assassinatos na América Latina: o eixo principal de nossa guerra não declarada são as drogas, ou melhor, a política de combate a elas. Essa distinção só ficaria clara para mim anos depois.

Meus laços com a Colômbia se fortaleceram ainda mais após o mestrado, quando retornei ao Brasil e aceitei o convite do antropólogo inglês para fazer parte de sua equipe na ONG. Apesar de ter deixado para trás um estágio em uma organização dedicada a crianças-soldado na Colômbia, meu novo desafio profissional me deu a chance de visitar esse país inúmeras vezes.

Meu trabalho nessa ONG brasileira me levou, primeiro, a lutar para que o nosso governo equiparasse os mecanismos de proteção previstos pelo direito internacional para crianças-soldado de guerra também para crianças e adolescentes cooptados pelo tráfico de drogas. A ideia principal é apoiar a reinserção social desses menores, partindo do pressuposto de que eles merecem uma segunda chance. São, afinal de contas, crianças e precisam ser protegidas. Infelizmente, não tivemos muito sucesso nessa empreitada.

Minha agenda continuou em torno de questões de segurança pública, como regulação de armas de fogo e reforma das polícias. Em 2008, comecei a desenvolver a organização que cofundei em 2011 e hoje dirijo, o Instituto Igarapé. Em paralelo, aceitei um novo desafio profissional: mergulhei em uma jornada de aprendizado coletivo sobre políticas de drogas que dura até hoje. Me envolvi na construção e na coordenação do secretariado de duas comissões internacionais independentes formadas por líderes globais que se propuseram a quebrar o tabu sobre as políticas de drogas e a estudar a fundo a questão.

A primeira foi a Comissão Latino-americana sobre Drogas e Democracia, lançada em 2008 como uma iniciativa de dezessete líderes da região, tendo à frente três ex-presidentes: Fernando Henrique Cardoso, do Brasil; César Gaviria, da Colômbia; e Ernesto Zedillo, do México. O objetivo era provocar o debate por meio de uma avaliação equilibrada do impacto da atual política de drogas na América Latina e contribuir para a construção de políticas mais eficientes, humanas e seguras. Em 2009, a comissão apresentou as principais conclusões no relatório "Drogas e democracia: rumo a uma mudança de paradigma".[1]

Em 2010, embalados pelo sucesso da Comissão Latino-americana, os três ex-presidentes seguiram para a Comissão Global de Políticas sobre Drogas.[2] Liderados pelo ex-presidente Fernando Henrique Cardoso, outros vinte estadistas e personalidades globais foram convocados, incluindo Kofi Annan, ex-secretário geral das Nações Unidas; Richard Branson, empresário e fundador do grupo Virgin; Paul Volcker, ex-presidente do Banco Central dos Estados Unidos, e os ex-presidentes Jorge Sampaio (Portugal), Obasanjo (Nigéria), Ricardo Lagos (Chile), Ruth Dreifuss (Suíça) e Aleksander Kwasniewski (Polônia). Desde 2011, a Comissão Global publica anualmente relatórios temáticos baseados em evidências científicas e experiências internacionais.[3] O relatório de 2014, "Sob controle: caminhos para políticas de drogas que funcionem",[4] é tido como o documento de referência internacional sobre os caminhos a seguir na reforma das políticas de drogas. Entre 2011 e 2016, servi como secretária-executiva da Comissão Global de Políticas sobre Drogas. Nesse período, o Igarapé foi o escritório desse grupo.

No Brasil, como desdobramento de meu trabalho internacional, cofundei a Rede Pense Livre – por uma política de drogas que funcione, que envolveu dezenas de jovens lideranças na missão de trazer um debate informado para nosso país. Durante os nove anos que já levo nessa jornada, estudei, questionei e conheci inúmeros projetos e iniciativas que deram certo e errado. Preciso dizer, no entanto, que os argumentos mais convincentes sobre a necessidade de buscar soluções melhores para lidar com as drogas vieram das histórias de centenas de pessoas que conheci. São enredos reais de vida e morte que se entrelaçam em uma triste trama, como os elos da cadeia de produção, distribuição, venda e consumo de drogas.

Esses personagens muitas vezes não se dão conta de que vários dos dramas vividos por eles e por milhões de outras pessoas em todo o mundo podem e devem ser evitados. Basta estarmos dispostos a experimentar com responsabilidade novos caminhos.

Neste livro, resumi o que vi e aprendi para honrar o sofrimento dessas pessoas. As vidas de Daniel, Irina, Mete-Bala, Jaqueline e Cadu contêm um pouco de muita gente. Factíveis, poderiam acontecer em muitos lugares do país e do mundo. São personagens semificcionais que espelham a realidade de gente de carne e osso, que vive ao nosso lado, mesmo sem percebermos. O momento de contar essas histórias é oportuno. Há uma revolução em curso no mundo, alterando discursos e práticas quanto às políticas de drogas.

Cada vez mais desacreditada, a guerra às drogas alimenta um ciclo de violência em nome de uma meta inatingível: um mundo sem drogas. Por seus altos custos sociais, e sobretudo por jamais ter alcançado o objetivo inicial – reduzir a oferta e, por tabela, o consumo de drogas –, essa guerra obrigou os governos e a sociedade civil a cavarem trincheiras de onde surgem agora os embriões da grande mudança. O consenso sobre a necessidade de reprimir militarmente a oferta e o consumo de substâncias consideradas ilícitas ruiu.

Os capítulos da história da humanidade costumam ser contados em séculos. Por isso classifico como muito relevante a mudança de rumo no debate internacional sobre a política de drogas ocorrida a partir de 2011, e me sinto orgulhosa de fazer parte desta história. Desde então, em quase todos os continentes, assistimos ao surgimento de iniciativas que ajudaram a moldar um novo rumo para um tema tão controverso. São estratégias para a promoção da saúde, dos direitos humanos, da segurança e do desenvolvimento. Elas colocaram em marcha medidas que descriminalizam o consumo de drogas, promovem alternativas aos cultivos ilegais, testam a regulação responsável do uso de substâncias ainda classificadas como ilícitas pela comunidade internacional e ampliam a rede de saúde para o tratamento de usuários problemáticos e a redução dos danos associados ao uso de drogas.

Em parte devido ao trabalho das comissões internacionais, especialmente o da Comissão Global de Políticas sobre Drogas, essas iniciativas saíram do anonimato e foram incluídas numa agenda de reformas com expressivas adesões de autoridades e lideranças científicas e intelectuais no mundo todo.

Até mesmo os Estados Unidos, onde prevalece a rigidez no combate às drogas, adotaram ideias progressistas no governo Obama. O país vinha buscando maior proporcionalidade nas penas por delitos relacionados a drogas, além de mostrar exemplos de regulação para o uso medicinal e recreativo da maconha em dezenas de estados. Ainda que discretamente, vêm dos Estados Unidos os principais movimentos que na prática questionam as convenções internacionais em vigor.

Em abril de 2016, depois de longos dezoito anos de espera, foi realizada uma sessão especial da Assembleia Geral das Nações Unidas (Ungass 2016) para avaliar resultados, desafios e oportunidades no âmbito da política internacional sobre drogas. Autoridades de 193 países testemunharam um momento histórico. Todos nós presentes ao solene auditório da ONU em Nova York, entre 19 e 21 de abril de 2016, percebemos pelos discursos que não existe mais um consenso mundial sobre a política repressiva.[5] Dezenas de países expressaram desacordo com o que vem sendo feito porque sabem que nada disso levou à redução da oferta ou do consumo de drogas. Não tratou os dependentes. Impediu pesquisas. Freou o avanço do conhecimento que poderia salvar vidas.

Como bem observou o presidente da Colômbia, Juan Manuel Santos, durante sua fala, como explicar para um agricultor colombiano que ele não pode plantar maconha se no Colorado, nos Estados Unidos, alguém planta protegido pela lei?[6]

Como ele, outros líderes de diversos países – mais destacadamente de México, Equador, Uruguai, Canadá, Holanda, Reino Unido, Noruega, Israel, Austrália e Nova Zelândia – criticaram os poucos avanços da declaração assinada por consenso no início da Ungass, que, apesar de trazer de volta ao debate a centralidade do respeito aos direitos humanos na aplicação das leis de drogas, não foi capaz de colocar no papel os avanços revelados pela prática de muitos países. No conjunto, os discursos desses chefes de Estado tocaram nos pontos-chave que precisamos universalizar nos próximos anos. Entre eles estão a abolição da pena de morte para crimes relacionados às drogas, prevista ainda em cerca de trinta países; a adoção do conceito e de práticas de redução de danos; a descriminalização do uso e da posse de drogas para consumo pessoal; e a modernização das convenções, para permitir que países experimentem modelos de regulação de substâncias hoje ilícitas de acordo com contextos e necessidades locais. Em 2019, ano em que deve ocorrer uma revisão do Plano de Ação internacional, haverá outra oportunidade para avançar. Espera-se que até lá esses pontos já estejam mais amadurecidos e facilitem um consenso.

Apesar de sofrer tanto ou mais com as políticas equivocadas de combate às drogas, o Brasil não tem sido uma liderança expressiva desse debate. Não se juntou aos vizinhos mais aguerridos, como Colômbia, México e Uruguai, por uma agenda mais completa. O Brasil ressaltou o respeito aos direitos humanos, apoiou o fim da pena de morte e as abordagens de redução de danos. Reconheceu que a lei é desigual por punir mais negros e pobres. Faltou, no entanto, coragem política para defender medidas com implicações mais práticas. O Brasil não se manifestou a favor do fim da criminalização do uso de drogas, muito menos da possibilidade de que países testem modelos de regulação de algumas delas.

Com a ajuda da Justiça, porém, estamos avançando mesmo que devagar. No dia 23 de junho de 2016, o Supremo Tribunal Federal julgou um habeas corpus e decidiu que tráfico privilegiado – aquele cometido por réu primário sem participação em organizações criminosas – não é crime hediondo. Mas a decisão quase seguiu na direção contrária. A reviravolta só aconteceu depois que alguns ministros mudaram seus votos, revelando que a Suprema Corte brasileira está se aprofundando no tema.

Em parte, esse entendimento está sendo promovido pela intensa atuação de grupos da sociedade civil, incluindo o Instituto Igarapé, que trabalha pela redução da violência, guiado pelo compromisso de influenciar a formulação de políticas públicas baseadas em evidências científicas. Não somos os únicos. Há mais vozes organizadas da sociedade civil fazendo crescer o debate sobre política de drogas. Somos poucos, mas estamos acompanhando no STF o julgamento que pode tirar o uso de drogas da esfera criminal no Brasil.

Não é só pelo Judiciário que podemos avançar em reformas. Não nos esquecemos do Legislativo nem do Executivo, poderes que podem e devem tomar a dianteira desse processo, mas não o têm feito no Brasil. Por aqui parece que ainda falta coragem para tocar na questão. Progredimos no trabalho técnico e de replicação de boas práticas, feito pela Secretaria Nacional de Política de Drogas do Ministério da Justiça e pelo Ministério da Saúde entre 2013 e 2016, tendo a saúde pública, a redução de danos, o acesso a tratamento e a inclusão social como norte da política. Um trabalho que precisa ser continuado e expandido pelos próximos governos.

São conquistas ainda tímidas. O Brasil é lanterna nas Américas quando se trata de política de drogas. Quase todos os países da América do Sul deixaram de considerar crime o uso de drogas – e alguns jamais criminalizaram o consumo. O Chile já está colhendo a primeira safra de maconha para fins medicinais, toda regulamentada, sem a necessidade da burocracia da importação, como ainda acontece no Brasil. O Uruguai desponta como primeiro país a testar um modelo completo de regulação da maconha para uso recreativo que contempla autocultivo, cooperativas de usuários e venda para adultos em farmácias, com qualidade, quantidade e preço controlados. Indo mais para o norte, o Canadá, em 2016, aboliu a previsão de pena mínima para tráfico de pequenas quantidades, inclusive para reincidentes, e avança na regulação medicinal e recreativa da cannabis.

Quando olhamos para nosso entorno, fica ainda mais patente que não é hora de voltar atrás nos poucos passos dados em direção a uma nova política de drogas, ancorada em evidências científicas e não em ideologias.

Sei que, quando dermos o próximo passo, novos desafios surgirão. Avançar significa desatar nós, fatiar o problema para ir atacando frentes diversas. A esse processo complicado e ao mesmo tempo fascinante costumamos dar o nome de progresso.

GLOSSÁRIO

COMUNIDADE TERAPÊUTICA: São instituições privadas, algumas delas financiadas em parte pelo poder público, que oferecem acolhimento em regime residencial. Mesmo não sendo equipamentos de saúde (resolução 01/2015 MJ/Senad), buscam realizar tratamento para pessoas com transtornos decorrentes do uso, abuso ou dependência de álcool ou outras drogas. O tempo de acolhimento pode durar até doze meses. Adotam regras de permanência que na maioria das vezes exige abstinência do uso de drogas.

DESCRIMINALIZAÇÃO DO USO DE DROGAS: É a não aplicação de pena criminal para uso ou posse de drogas ou de parafernália para uso pessoal. O termo é também usado para referir-se a outras infrações menores relacionadas a drogas.

A descriminalização do uso de drogas muitas vezes é confundida com a legalização ou até mesmo a liberação das drogas. A retirada de sanções criminais sobre o consumo, porém, não torna a droga legal, apenas faz com que o usuário não seja mais considerado criminoso.

DESPENALIZAÇÃO DO CONSUMO DE DROGAS: No Brasil, este termo é usado para explicar a retirada da pena de restrição da liberdade ao usuário de drogas. O uso de drogas continua sendo crime. O usuário pode ser obrigado a frequentar curso ou prestar serviços comunitários. Como um criminoso, responderá à justiça criminal. Só não será preso. A legislação brasileira de 2006 despenalizou o porte para consumo pessoal de drogas sem definir critérios objetivos para garantir uma distinção entre usuários e traficantes.

GUERRA ÀS DROGAS: Estratégia de repressão com foco na redução da oferta de drogas ilícitas, combatendo a produção e o comércio e criminalizando o uso. A expressão ganhou força em julho de 1971, e rapidamente se alastrou pelo mundo, depois que o então presidente norte-americano Richard Nixon declarou as drogas como "inimigo público número um". O objetivo é erradicar as drogas ilegais do planeta.

JUSTIÇA RESTAURATIVA: Proposta de aplicação da justiça na qual se busca atender a vítima ao mesmo tempo que o agressor é convocado a participar da reparação do dano, visando um processo produtivo e de reintegração à sociedade, em lugar da simples pena. Por meio dessa proposta alternativa de justiça criminal, justifica-se uma busca pela ressocialização do ofensor: o agente deve reconhecer o seu erro e assumir a responsabilidade pelas consequências de seu ato. A justiça restaurativa visa a "curar" as consequências do delito.

LEGALIZAÇÃO DAS DROGAS: Processo que põe fim à proibição e torna legais a produção, a distribuição e o uso de drogas para fins científicos, medicinais ou recreativos. Medida legislativa necessária para a regulação do mercado de drogas, que pode assumir diversos modelos. Sem legalizar, não é possível estabelecer uma regulação responsável para maior controle sobre o uso e a qualidade das substâncias a fim de reduzir os danos associados ao consumo de drogas.

LIBERAÇÃO: Trata-se da liberação total das drogas, sem qualquer regulamentação de quantidade, qualidade, posologia, distribuição, propaganda etc. Não é a realidade de nenhum país atualmente nem faz parte da discussão sobre políticas de drogas propostas por líderes mundiais.

PROIBIÇÃO: Prevê sanções criminais para a produção, a distribuição e a posse de certas drogas (para fins não medicinais ou científicos). O termo é usado para referir-se ao regime internacional de controle de drogas (tratados da ONU de 1961, 1971 e 1988 e legislação doméstica brasileira, lei 11.343/2006).

REDUÇÃO DE DANOS: Práticas que visam mitigar consequências econômicas, sociais e de saúde negativas causadas pelo uso e abuso de drogas psicoativas legais ou ilegais, sem ter a abstinência como pré-requisito. Envolve prevenção, especialmente do abuso de drogas, e busca melhorar a saúde e o bem-estar de dependentes. Exemplos incluem salas de uso seguro de substâncias como a heroína injetável, troca e distribuição de seringas descartáveis e prevenção baseada em educação honesta sobre consequências e riscos das drogas. Programas de redução de danos têm incorporado direitos além do acesso à saúde, como moradia, alimentação e recolocação profissional.

REGULAÇÃO: Conjunto de regras que regem e podem restringir o mercado de um produto, como por exemplo a droga – sua produção, disponibilidade, uso e publicidade, bem como os próprios artigos (preço, potência, embalagem). Diferentes mecanismos de controle podem ser usados, inclusive proporcionais aos riscos das substâncias e aos contextos locais.

FISSURA: Vontade muito forte de usar alguma droga por pessoas em situação de dependência. Pode ser desencadeada por uma série de gatilhos, como passar por determinada experiência ou simplesmente ver alguém usando drogas.

REVISTA VEXATÓRIA: Revistas feitas na entrada de visitas em algumas cadeias no Brasil. São extremamente invasivas, em especial com mulheres, postas para agachar sem roupa na frente de agentes que certificam se não estão levando escondidos no corpo objetos proibidos e pacotes de drogas.

USO PROBLEMÁTICO OU ABUSO DE DROGAS: Uso regular, de longa duração e cada vez mais frequente de uma substância. A rotina sofre alterações, bem como o sono, o apetite e o comportamento social. Pode ocorrer com drogas ilegais ou legais, como o álcool.

VAPOR: Indivíduo, geralmente menor de idade, contratado pelo tráfico de drogas para vigiar a entrada da "boca". É chamado de vapor pois, ao primeiro sinal de polícia, ele "evapora".

NOTAS

1. A CADEIA DAS DROGAS (p.19-110)

1. Ver http://www.bbc.com/mundo/noticias/2014/07/140711_colombia_farc_victimas_secuestros_dialogo_aw1
2. Ver Simci (Sistema Integrado de Monitoramento de Cultivos Ilícitos), disponível em: https://www.unodc.org/colombia/es/simci2013/simci.html
3. Para ver dados de fumigação com glifosato, acesse: http://www.wola.org/commentary/time_to_abandon_coca_fumigation_in_colombia
4. Ver http://www.acnur.org/donde-trabaja/america/colombia/; http://www.unhcr.org/556725e69.html#_ga=1.11245108.1253374075.1465570264
5. Comissão Global de Políticas sobre Drogas. *Sob controle: caminhos para políticas de drogas que funcionam*, set 2014, disponível em: http://www.globalcommissionondrugs.org/reports/taking-control-pathways-to-drug-policies-that-work/
6. *You'll Learn Not to Cry: Child Combatants in Colombia*, Human Rights Watch, set 2003, p.31, disponível em: https://www.hrw.org/reports/2003/colombia0903/colombia0903.pdf
7. Dados do número de deslocados internos na Colômbia (refugiados que não cruzam fronteiras) disponíveis em: http://www.unhcr.org/556725e69.html#_ga=1.112451 08.1253374075.1465570264

2. UM LABIRINTO COM MUITAS SAÍDAS (p.111-79)

1. Para saber mais: http://www.mitosyrealidades.co/preguntas-frecuentes-del-proceso-de-paz/acuerdo-salida-menores-campamentos-farc/
2. Ver http://www.centrodememoriahistorica.gov.co/micrositios/informeGeneral/descargas.html
3. Ver http://mundo.sputniknews.com/americalatina/20160517/1059747342/farc-menors-reclutamiento.html
4. Ver http://www.brookings.edu/~/media/Research/Files/Papers/2015/04/global-drug-policy/Mejia-Colombia-final-2.pdf?la=en, p.3.
5. Mejía, Daniel e Pascual Restrepo, "Why is strict prohibition collapsing? A perspective from producer and transit countries", in *Ending the drug wars*, LSE Ideas,

2014, p.30, disponível em: https://www.lse.ac.uk/IDEAS/publications/reports/pdf/LSE-IDEAS-DRUGS-REPORT-FINAL-WEB.pdf
6. Para saber mais sobre o Plano Colômbia e seus efeitos, ver Monteiro, L.C.R., "Plano Colômbia e seus efeitos territoriais nas fronteiras: uma análise comparativa entre o Brasil e os demais países vizinhos à Colômbia", *Anais da Jornada de Iniciação Científica, Artística e Cultural – UFRJ*, Rio de Janeiro, 2006. Ver também: http://reformdrugpolicy.com/wp-content/uploads/2011/10/paper_16.pdf
7. Rico, Daniel M, "Cuestionando el mito de la rentabilidade cocalera", disponível em: http://lasillavacia.com/content/cuestionando-el-mito-de-la-rentabilidad-cocalera
8. Ver http://www.insightcrime.org/news-analysis/colombia-again-world-top-cocaine-producer
9. *You'll Learn Not to Cry: Child Combatants in Colombia*, Human Rights Watch, set 2003, disponível em: https://www.hrw.org/reports/2003/colombia0903/colombia0903.pdf
10. Idem.
11. Idem.
12. *The Growth of Incarceration in The United States: Exploring Causes and Consequences*, disponível em http://www.nap.edu/read/18613/chapter/1
13. Western, Bruce e Christopher Wildeman, "The black family and mass incarceration", in *The Annals of the American Academy of Political and Social Science*, vol.621, n.1, jan 2009, p.221-42, disponível em: http://ann.sagepub.com/content/621/1/221.abstract
14. Drucker, Ernest, "Mass incarceration as a global policy dilemma: limiting disaster and evaluating alternatives", in *Ending the Drug Wars*, LSE Ideas, 2014, p.61, disponível em: https://www.lse.ac.uk/IDEAS/publications/reports/pdf/LSE-IDEAS-DRUGS-REPORT-FINAL-WEB.pdf
15. Ver http://ellabakercenter.org/sites/default/files/downloads/who-pays.pdf, p.7
16. Hatton, Diane C. e Anastasia A. Fisher (ed.), *Women Prisioners and Health Justice: Perspectives, Issues, and Advocacy for an International Hidden Population*, Oxford, CRC Press, 2009.
17. World Female Imprisonment List, Institute for Criminal Policy Research, set 2015, disponível em: http://www.prisonstudies.org/news/more-700000-women-and-girls-are-prison-around-world-new-report-shows
18. Ver http://g1.globo.com/rio-de-janeiro/noticia/2016/01/pezao-sanciona-lei-que-proibe-presas-gravidas-de-serem-algemadas.html
19. Ver http://www.dw.com/en/behind-bars-in-the-mother-and-child-cells-of-a-german-prison/a-5660740
20. Queiroz, Nana, *Presos que menstruam*, Rio de Janeiro, Record, 2015.
21. Fonte: Agência Brasil.
22. Ver https://www.macfound.org/press/press-releases/20-diverse-communities-receive-macarthur-support-reduce-jail-populations-improve-local-systems-and-model-reforms-nation/

23. Ver http://www1.folha.uol.com.br/cotidiano/2016/06/1786011-2-em-3-menores-infratores-nao-tem-pai-dentro-de-casa.shtml
24. Cerqueira, Daniel, *Causas e consequências do crime no Brasil*, BNDES, 2014.
25. Ver http://www.insightcrime.org/news-analysis/report-spotlights-drug-trafficking-at-santos-port-brazil-drug-policies
26. In *Anuário brasileiro de segurança pública*, 8ª ed., Fórum Brasileiro de Segurança Pública, 2014, disponível em: http://www.forumseguranca.org.br/produtos/anuario-brasileiro-de-seguranca-publica/8o-anuario-brasileiro-de-seguranca-publica
27. In *De onde vêm as armas do crime: análise do universo de armas apreendidas em 2011 e 2012 em São Paulo*, Instituto Sou da Paz, dez 2013, disponível em: http://www.soudapaz.org/upload/pdf/relatorio_20_01_2014_alterado_isbn.pdf
28. Cerqueira, Daniel et al., *Indicadores Multidimensionais de Educação e Homicídios nos Territórios Focalizados pelo Pacto Nacional pela Redução de Homicídios*, Nota Técnica, n.18, Ipea, maio 2016, disponível em: http://www.ipea.gov.br/portal/index.php?option=com_content&view=article&id=27724&catid=8&Itemid=6
29. Szabó de Carvalho, Ilona e Ana Paula Pellegrino (coord. e ed.), *Políticas de Drogas no Brasil, a mudança já começou*, Instituto Igarapé, Artigo Estratégico 16, mar 2015, disponível em: https://igarape.org.br/wp-content/uploads/2013/05/AE-16_CADERNO-DE-EXPERI%C3%8ANCIAS_24-03w.pdf
30. Para saber mais, acesse www.cureviolence.org
31. Drucker, Ernest, op.cit.
32. Ver http://g1.globo.com/Noticias/Rio/0,,MUL1344807-5606,00-HELICOPTERO+DA+PM+CAI+DURANTE+OPERACAO+EM+FAVELA+DO+RIO.html
33. Cerqueira, Daniel, op.cit.
34. Collins, S.E, H.S. Lonczak e S.L. Clifasefi, "LEAD Program evaluation: criminal justice and legal system utilization and associated costs", University of Washington, 2015, disponível em: http://static1.1.sqspcdn.com/static/f/1185392/26401889/1437170937787/June+2015+LEAD-Program-Evaluation-Criminal-Justice-and-Legal-System-Utilization-and-Associated-Costs.pdf
35. Ver http://oglobo.globo.com/sociedade/pesquisa-mostra-que-maioria-das-apreensoes-de-drogas-no-rio-de-pequenas-quantidades-17501599
36. Fontes: Instituto de Segurança Pública do Rio de Janeiro e Defensoria Pública da Bahia.
37. Ver http://www.release.org.uk/publications/drug-decriminalisation-2016
38. Hughes, Caitlin Elizabeth e Alex Stevens, "A resounding success or a disastrous failure: re-examining the interpretation of evidence on the Portuguese decriminalisation of illicit drugs", *Drug and alcohol review*, vol.31, jan 2012, p.101-13, disponível em: http://www.ncbi.nlm.nih.gov/pubmed/22212070
39. Hughes, Caitlin Elizabeth e Alex Stevens, "The effects of decriminalization of drug use in Portugal", The Beckley Foundation Drug Policy Programme, 2007.
40. Para mais informações sobre a política de drogas em Portugal, ver www.emcdda.europa.eu/publications/country-overviews/pt

41. Ver http://brasil.elpais.com/brasil/2016/04/22/internacional/1461326489_800755.html?rel=mas
42. Csete, Joanne, "Costs and benefits of drug-related health services", in *Ending the Drug Wars*, LSE Ideas, 2014, p.70, disponível em: https://www.lse.ac.uk/IDEAS/publications/reports/pdf/LSE-IDEAS-DRUGS-REPORT-FINAL-WEB.pdf
43. Ver https://www.washingtonpost.com/news/wonk/wp/2016/06/21/colorado-survey-shows-what-marijuana-legalization-will-do-to-your-kids/?campaign_id=A100&campaign_type=Email
44. Ver https://www.unodc.org/wdr2016/
45. "II Levantamento Domiciliar sobre o uso de drogas psicotrópicas no Brasil: 2005", São Paulo, Cebrid/Unifesp, 2006, p.33, disponível em: http://www.cebrid.com.br/wp-content/uploads/2014/10/II-Levantamento-Domiciliar-sobre-o-Uso-de-Drogas-Psicotr%C3%B3picas-no-Brasil.pdf
46. Ver https://www.drugabuse.gov/drugs-abuse/cocaine
47. Buchanan, Julian. "Missing links? Problem drug use and social exclusion", *Probation Journal*, vol.51, n.4, 2004, p.387-97.
48. *Obama: Drugs should be treated as a public health problem*. Entrevista com Barack Obama em CBS News, disponível em: http://www.cbsnews.com/8301-503544_162-20029831-503544.html
49. Remick, David, "Going the distance: on and off the road with Barack Obama", *The New Yorker*, 27 jan 2014, disponível em: http://www.newyorker.com/magazine/2014/01/27/going-the-distance-david-remnick
50. Hart, Carl, *Um preço muito alto: a jornada de um neurocientista que desafia nossa visão sobre as drogas*, Rio de Janeiro, Zahar, p.124.
51. A Espad acompanha 100 mil jovens em 35 países europeus. Mais informações no site: http://www.espad.org/report/home
52. Ver http://www.drugwarfacts.org/cms/Netherlands_v_US#sthash.zr5GmbUg.dpbs
53. *International Standards on Drug Use Prevention*, Viena, Nações Unidas, 2015, p.20, disponível em: https://www.unodc.org/documents/prevention/UNODC_2013_2015_international_standards_on_drug_use_prevention_E.pdf
54. Drug Policy Guide, 2ª ed., mar 2012, p.63, disponível em: https://dl.dropboxusercontent.com/u/64663568/library/IDPC-Drug-Policy-Guide_2nd-Edition.pdf
55. Para saber mais, ver http://www.dea.gov/druginfo/drug_data_sheets/Cocaine.pdf
56. Hart, Carl, op.cit, p.159.
57. Bastos, Francisco Inácio e Neilane Bertoni (orgs.), *Pesquisa nacional sobre o uso de crack*, Rio de Janeiro, Fiocruz, 2014.
58. O'Keefe, Karen e Milch Earleywine, *Marijuana Use by Young people: The Impact of State Medical Marijuana Laws*, Marijuana Policy Project, atualizado em jun 2011, disponível em: http://www.mpp.org/assets/pdfs/library/Teen-Use-FINAL.pdf
59. Law Enforcement Against Prohibition – Leap: http://www.leapbrasil.com.br

POSFÁCIO (p.181-88)

1. Comissão Latino-Americana de Drogas e Democracia. *Drogas e Democracia: rumo a uma mudança de paradigma*, 2009, disponível em: http://www.globalcommissionondrugs.org/wp-content/uploads/2016/07/drugs-and-democracy_book_PT.pdf
2. Para mais informações, ver http://www.globalcommissionondrugs.org
3. Disponíveis em: http://www.globalcommissionondrugs.org/reports/
4. Comissão Global de Políticas sobre Drogas. *Sob controle: caminhos para políticas de drogas que funcionam*, set 2014, disponível em: http://www.globalcommissionondrugs.org/reports/taking-control-pathways-to-drug-policies-that-work/
5. Para mais informações, ver https://www.youtube.com/watch?v=o73if6K0THA&feature=youtu.be
6. Ver http://statements.unmeetings.org/media2/7657496/colombia.pdf

OUTRAS FONTES

Instituto Igarapé. *Critérios objetivos de distinção entre usuários e traficantes: cenários para o Brasil*. Nota técnica, ago 2015. Disponível em: http://www.igarape.org.br/pt-br/criterios-objetivos-de-distincao-entre-usuarios-e-traficantes-de-drogas-cenarios-para-o-brasil

Rede Pense Livre. *Propostas para uma política de drogas*, ago 2014. Disponível em: http://www.igarape.org.br/pt-br/propostas-para-uma-politica-sobre-drogas/

_____. *Glossário sobre políticas de drogas*, 2015. Disponível em: https://docs.google.com/viewer?url=https://igarape.org.br/wp-content/uploads/2015/09/Infografico-Politica-de-drogas-na-pratica-RPL-4.pdf

_____. *Respondendo aos mitos I e II*, 2012 e 2013. Disponível em: https://igarape.org.br/respondendo-aos-mitos/

Rosamarin, Ari e Niamh Eastwood. "A Quiet Revolution: Drug decriminalisation across the globe", 2016. Disponível em: http://www.release.org.uk/publications/drug-decriminalisation-2016

AGRADECIMENTOS

Este livro é fruto de uma intensa e longa jornada de aprendizado compartilhada por muitas pessoas. Eu não teria como destacar nominalmente cada uma delas, mas não poderia deixar de agradecer ao ex-presidente Fernando Henrique Cardoso e a Miguel Darcy pela confiança e mentoria ao longo de quase uma década de trabalho conjunto, tanto na Comissão Latino-americana sobre Drogas e Democracia quanto na Comissão Global de Políticas sobre Drogas.

Da mesma forma, o trabalho em equipe com os membros do secretariado das duas comissões e nossos parceiros, em especial Beatriz Alqueres, Bernardo Sorj, Fernando Grostein Andrade, Patricia Kundrát, Rebeca Lerer e Rubem César Fernandes, foi determinante para ampliar o meu entendimento sobre o tema. Luke Dowdney, em 2003, me deu a oportunidade de iniciar uma nova trajetória profissional em que tive o primeiro contato com o tema.

Isabel Clemente foi a parceira perfeita para dar vida aos personagens que até então eu guardava em difíceis memórias e em uma proposta de livro. Sua sensibilidade, dedicação e interesse pelo tema resultaram em verdadeira colaboração que permitiu o diálogo entre empatia, emoção e dados técnicos. A agente literária Marianna Teixeira apostou no potencial deste projeto antes mesmo de ele ser incorporado por uma editora. E Ana Cristina Zahar, e toda sua equipe, aceitaram de imediato o desafio de falar sobre um tema ainda tabu de forma honesta e informativa, e nos deram toda a liberdade para criar e experimentar com linguagens inovadoras.

Anna Paula Pellegrino apoiou em pesquisas e na leitura atenta, trazendo observações que engrandeceram o conteúdo e a forma deste livro. A Eduardo Sequeiros, Mayra Jucá, Melina Risso e Misha Glenny, agradecemos pela leitura, pelas críticas e sugestões e pelo entusiasmo compartilhado durante o processo de investigação e redação da história.

O realismo das tramas dessa semificção foi potencializado graças à colaboração inestimável de profissionais que emprestaram seus conhecimentos técnicos e também suas experiências de vida para enriquecer a narrativa, do início ao fim. O nosso muito obrigada a Ariadne Cantu, Daniel Cerqueira, Daniel Rico, Dartiu Xavier da Silveira, ao delegado da Polícia Federal Mauro Spósito, Diogo Busse, Fernando Derenusson, Katherine Aguirre Tobón, major Claudia Moraes, Leonardo Graever, ao oficial de Inteligência do Exército tenente-coronel Francisco Nixon Frota, sargento Cleidson Roberto Perna Silva e Vânia Cesario.

E, finalmente, tenho muita sorte em poder contar com o apoio do meu marido, amigo, parceiro de trabalho e companheiro de jornada Robert Muggah. A ele, à minha filha Yasmin Zoe, aos meus pais Elisabeth e Manoel Carlos, que sempre me permitiram ser eu mesma e ir atrás dos meus sonhos; aos meus avós Ilona e Ferenc Szabó, Carmen e Manoel; e irmãos Ana Barbara, Carlota e Carlos, todo o meu amor, gratidão e meu sincero obrigada.

 A marca fsc® é a garantia de que a madeira utilizada na fabricação do papel deste livro provém de florestas de origem controlada e que foram gerenciadas de maneira ambientalmente correta, socialmente justa e economicamente viável.

Este livro foi composto por Mari Taboada em Dante Pro 11,5/16 e impresso em papel offwhite 80g/m² e cartão triplex 250g/m² por Geográfica Editora em março de 2017.

Publicado no ano do 60º aniversário da Zahar, editora fundada sob o lema "A cultura a serviço do progresso social".